はやみね かおる
K2商会［絵］

怪盗クイーンからの予告状

怪盗クイーン エピソード0

Episode 0

講談社

怪盗クイーンからの予告状

怪盗クイーン　エピソード0

目次

contents

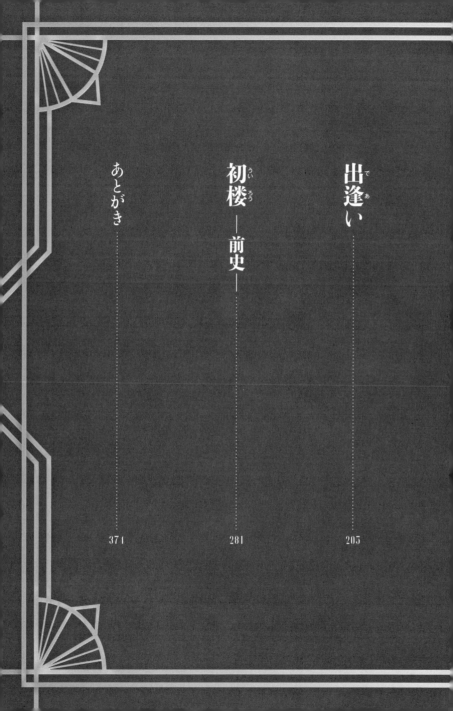

「怪盗クイーンからの予告状」

おもな登場人物

クイーン

飛行船トルバドゥール号で世界中に出没する、謎の怪盗。

ジョーカー

無表情で冷静沈着な、クイーンの仕事上のパートナー。

夢《ゆめ》水《みず》清《きよ》志《し》郎《ろう》

自分で名探偵と言いきる、常識ゼロの探偵。

岩《いわ》崎《さき》美《み》衣《い》

三つ子の末っ子。清志郎のしつけ係を自任する。

岩《いわ》崎《さき》真《ま》衣《い》

三つ子の二女。清志郎の保護者を自任する。

岩《いわ》崎《さき》亜《あ》衣《い》

三つ子の長女。清志郎の飼育係を自任する。

上《じょう》越《えつ》警《けい》部《ぶ》

清志郎や三つ子と親しい人情味ある警部。

中《なか》井《い》麗《れい》一《いち》

亜衣の同級生で清志郎の第一助手。通称レーチ。

倉《くら》木《き》 伶《れい》

人工知能を研究する、愛想のない科学者。

伊《い》藤《とう》真《ま》里《り》

雑誌『セ・シーマ』の編集者。タフな人。

岩《いわ》清《し》水《みず》刑《けい》事《じ》

おしゃれでアブナイ刑事《デカ》。上越警部の部下。

松《まつ》本《もと》恭《きょう》一《いち》

研究所へ取材にきた週刊誌のカメラマン。

黒《くろ》田《だ》 剛《つよし》

政府から研究所に派遣された警備担当者。

小《こ》泉《いずみ》紗《さ》弥《や》

倉木博士の助手の、小柄でかわいい女の人。

「出《で》逢《あ》い」

おもな登場人物

皇帝《アンブルール》

中国の奥地にすむ伝説の大怪盗。クイーンの師匠。

クイーン

皇帝《アンブルール》のもと、山中で修行する怪盗のたまご。

T《ティー》-25

収容所のＴ部隊に所属する少年。

ジョーカー

謎の収容所で訓練を受ける少年。T-28と呼ばれる。

「初《うい》楼《ろう》 ——前史——」

おもな登場人物

ズユ

黒いサングラスをかけた女医。幻術師《げんじゅつし》ズユと呼ばれる。

コロンバ

ズキアの相棒の銀鳩《ぎんばと》。いつもズキアの右肩にとまっている。

ズキア

A《エース》のズキア。賭け師《ギャンブラー》と名乗る、ポーカーが得意なイカサマ師。

シスター

教会のシスター。身よりのない子どもたちの世話をしている。

ロシとロク

２人組の漫才師。BATTLE MANZAI《バトルマンザイ》のロシとロクと呼ばれる。

クラサ

老年のバーテンダー。消音器《サイレンサー》クラサと呼ばれる。

茶魔《ちゃま》

第４部隊の一員。ウインクが得意。

ホッズ

暴力組織第４部隊の盲目のリーダー。

緋仔《ひこ》

教会に住む最年長の少年。

装丁　大岡喜直（next door design）
装画・本文イラスト　K2商会

怪盗クイーンからの予告状

The notice from Mirage QUEEN

オープニング　怪盗クイーンの華麗な一日

それは、どこかの空でのこと――。

黒い巨大な飛行船が、白い雲と青い空を背景に浮かんでいた。

黒い船体には、金《きん》で『TROUBADOUR《トルバドゥール》』の文字。それが、この飛行船の名前だ。

一九〇〇年につくられたツェッペリン1号は、全長が百二十八メートル。くらべると、この飛行船は、軽くその十倍はあった。

ただ、だれもその巨大な船体を見ることはできない。どのような防衛システムを装備しているのか、その船体は、つねに雲でおおわれているからだ。

船体の下部についた船室《キャビン》では、一人の人物が革《かわ》ばりのソファーにもたれるようにすわっていた。

やせた長身の体。髪と肌が、ぬけるように白い。目も、かすかに灰色が入っているだけで、かぎりなく白に近い。右手にもったグラスに入っているワインの赤が、その人物の白さを、いっそうきわだたせている。

その人物はワインを口にふくんだ。白い口紅で色を消しているくちびるが、かすかに赤く染まる。

ととのった顔立ちで、目をとじると、まつげが長い。まるで、天使が羽を休めているような光景だ。そう、性別のない天使という形容が、この人物にはふさわしいのかもしれない。

その人物の性別は、わからなかった。

いや、性別だけではない。国籍も年齢も、人物を特定できるような個人情報《パーソナルデータ》は、なにもなかった。その人物を印象づけているのは、身にまとっている空気——幻想的で非現実的な空気だけだった。

「退屈なのですか、クイーン？」

部屋に入ってきた男が、ソファーの人物に声をかける。そのソファーの下には、クロスワードパズルの雑誌や、すべてつぶされたプチプチクッションが散乱していた。

クイーンと呼ばれた人物は、ワイングラスから、入ってきた男に視線をうつした。

「わかるかね、ジョーカーくん。」

「あなたのようすを見て、わからない人がいたら、お目にかかりたいですね。」

部屋に入ってきた男——ジョーカーは、表情をかえずに言った。

クイーンほどではないが、ジョーカーも長身である。

短い黒い髪。目の色は青《ブルー》。

黒い中国服を着た体は、やせているが、鋼《はがね》のような筋肉でおおわれているのが、音をたてないしなやかな動きから読みとることができる。

ジョーカーを印象づけているのは、その目だ。強い光をもった目——古い中国の書物にでてくる邪眼《じゃがん》を思わせる。年齢は二十歳《はたち》前後らしいが、その目は年齢以上に多くのものを見てきたにちがいない。

「朝からソファーでゴロゴロしながらワインをガブ飲みして、クロスワードパズルをうめ、プチプチクッションをつぶすしか、することがないんですか?」

ジョーカーが、クイーンのわきにころがっていた、シャトー・ラトゥールという名のワインのびんをひろいあげる。

「アンニュイな気分を味わっているんだがね、ジョーカーくん。」

「言いわけしても、むだです。要するにあなたは、ひまで退屈していて、酒をかっくらっているわけです。」

断言するジョーカーの言葉には、だれもさからうことのできない迫力があった。

「風情《ふぜい》がないね、きみは……。」

「フゼイ？」

首をひねるジョーカーに、クイーンが言う。

「日本の国の言葉だよ。おもむきとか、味わいって意味がある。」

「あなたに東洋趣味があるとは思いませんでした。」

「ほかにも、『わび、さび』という言葉もある。」

「それは、なんですか？」

「緑色をしていてね、おさしみにつけて食べるとおいしいんだよ。」

「そうなんですか。」

からかわれていることに気づかず表情をかえないジョーカーを見て、クイーンは楽しそうに笑った。

「まったく、きみはすなおだよ。はじめて会ったときから、すこしもかわらない。」

その言葉で、ほんのわずか、ジョーカーの表情に変化がおきた。右手にもっていたびんの、首

の部分がバキッと音をたてて割れる。

過去の話は、あまりしてほしくないのだろう。

クイーンが立ちあがった。

「では、この退屈を吹きとばすような、きみの話を聞こうか。」

クイーンは、ジョーカーがきた理由を察しているように言った。

「ぼくが仕事の話をもってきたと、どうして思ったんです?」

ジョーカーがきくと、クイーンは笑顔で答える。

「基本的に、きみはわたしとの会話を好んでいない。それに、ワインを楽しんでいるわたしのじゃまをするほど、意地の悪い人間でもない。それなのに、こんな朝はやくからわたしと話をしにやってきた。これはよほどの情報をもってきたと考えるのはとうぜんだろ。」

「正答率は七十五パーセントというところですね。」

機械のような冷静さで、ジョーカーが口をひらく。

「ぼくがあなたとの会話を好まないと言われましたが、正確ではありません。ぼくは、あなただけでなく、すべての人間と会話することを好みません。」

それを聞いて、そうだったというように肩をすくめるクイーン。

「あと、もう一点。――ぼくは、けっこう意地の悪い人間ですよ。」

ジョーカーは無表情で言う。

「わかったよ。でも、楽しい話をもってきたってところは正解だったろ？　退屈な話だったら、わたしは新しいワインをあけなくてはならなくなる。」

クイーンは、さっきジョーカーが割ったびんの横に、口をきってないブロークン・ウッドというう名のワインのびんをならべる。

ジョーカーは、なにも言わずに新聞をさしだした。

日本の新聞だった。社会面に大きく「新型人工知能の開発に着手」と書かれている。そして記事の下に、白衣の女性の顔写真と、「倉木《くらき》伶《れい》博士」の文字。

クイーンは、ざっと記事をながめてからジョーカーにきいた。

「わたしに、どうしろというのかね、ジョーカーくん？」

「退屈している怪盗クイーンが復帰するには、ふさわしい仕事だと思いますが。」

ジョーカーは無表情のまま答えた。

怪盗――この言葉を聞いて、人はどのようなイメージを思いうかべるだろうか。

黒いシルクハットに片眼鏡。

予告状。

神出鬼没《しんしゅつきぼつ》にして大胆不敵な犯行。

どんな人間にもなることができる変装の名人。

月を背景に浮かぶ黒い気球。

くやしがる警察を横目に、高笑いがひびく。

論理的に考えて、予告状をだせば警察の警備も厳重になり、犯行をおこないにくくなる。それなのになぜ、犯行のまえに予告状をだすのか？

それは、怪盗の犯罪美学である。

あなたは、そのような怪盗を時代おくれだと考えるかもしれないが、それはまちがっている。

怪盗は、論理《ロジック》の世界に生きているのではない。怪盗が生きているのは、魔法《マジック》の世界なのである。

世界のどこかで、夜の闇に浪漫《ロマン》を感じる子どもが一人でもいたら――怪盗はこの世に必要なのだ。

「この倉木博士は、頭がいいんだろうか？」

「新しい人工知能を開発しようという人間の頭が、悪いとは思えませんが……。」

「そのとおりだね。知識があれば、博士になどなるのはかんたんだ。だが、新しいものをつくりだすのには、真によい頭脳が必要になる。」

そう言いながら、クイーンは倉木博士の写真を見つめる。

「おもしろいね。もっとくわしい情報がほしいんだが。」

写真から顔をあげたクイーンは、ジョーカーに言った。

「こちらに用意してあります。」

ジョーカーが、中国服のポケットからＭＤ《ミニディスク》を取りだす。

「まったくきみは、ぬかりのない男だね。」

皮肉っぽく言われても、ジョーカーの表情はかわらない。

クイーンは長い指で、新聞記事をきれいにきりとった。

「では、新しい仕事が決まったお祝いに、ブロークン・ウッドをあけようか。」

新聞記事を指のあいだにはさんだクイーンは、びんの横でスッと手を動かす。

それを見ていたジョーカーは、かすかに風が吹いたのを感じた。

つぎの瞬間、びんの首がポロリと落ちる。

「乾杯《トスト》！」

クイーンが、ワイングラスを目の高さにあげた。

「ささいなことかもしれませんが、ワインをあけるのに、いちいち、びんの口を切断するのはやめていただけませんか。掃除するのもたいへんなんです。」

祝杯ムードを軽く吹きとばす、ジョーカーの言葉。

「はーい。」

怒られたクイーンは、

「自分だって、びんをにぎりつぶしてるくせに……。」

と、背中をまるめて小声でブツブツ言う。

「言いたいことがあったら、はっきり言ってください。」

さらに突きはなすジョーカー。

そこで、雰囲気をかえるべく、クイーンはきいた。

「それはそうと、きみの計算では、この新型人工知能は、いつごろ完成しそうだね？」

言いながら、すでに計算してあるんだろ？　という顔でジョーカーを見る。

「三年四か月と十七日後です。」

「誤差は？」

「プラスマイナス一週間です。」

「では、いまから三年四か月と十七日後に、人工知能を盗むことにしよう。しかし、そんな先の話だと、忘れてしまいそうだな……。ジョーカーくん、すまないが、忘れないように予告状をだしておいてくれないかね。」

「あなたは予告状を、度忘れ防止用のメモがわりに使おうというのですか？」

「せっかくの予告状、有効に使わないとね。」

そう言ってウインクするクイーン。そこには、怪盗の犯罪美学もなにも感じられなかった。

「あなたの存在は、すでにぼくの論理的思考の限界をこえています。」

ジョーカーはかすかに、ため息をつき、クイーンに一冊の雑誌をわたす。

「なんだね？」

不思議がるクイーンに、ジョーカーが説明する。

「あなたが興味をもつ記事がのっています。」

クイーンは、表紙に『セ・シーマ』と書かれた雑誌をひらく。そこには、『名探偵夢水清志郎《ゆめみずきよしろう》の謎解き紀行　これが夢水名探偵のえらんだお好み焼き屋さんＢＥＳＴ３だ！』という記事がのっていた。

「……なんだね、これは？」

理解不能という声で、クイーンがきく。

「日本の名探偵です。」

はっきりとジョーカーが言った。

「名探偵！」

「そうです。クイーン、あなたが怪盗であるのとおなじように、この夢水清志郎は名探偵です。」

その言葉を聞いて、クイーンは心底楽しそうに笑った。

「この現代に、まだ名探偵が生きのこっていたとはね。プロディジュー（すばらしい）！　もう一度、乾杯しよう、ジョーカーくん！」

すでに、退屈をもてあましてソファーでゴロゴロしていたようすは、みじんも感じられない。

それは、新しい仕事が決まったことよりも、名探偵がいるということを喜んでいるようだった。

足元に散らばったクロスワードパズルの雑誌やプチプチクッションをけちらかす。

「その雑誌やエアキャップも、自分でかたづけてくださいね。」

「エアキャップ？　このプチプチクッションのことかね？」

ジョーカーに言われて、クイーンは足元を見る。

「正式名称は、エアキャップなんです。」

クイーンは肩をすくめ、ワイングラスを片手に『セ・シーマ』に目をとおしはじめた。

すると、その顔がだんだん、いぶかしげな表情にかわる。

「しかし、この夢水清志郎って、ほんとうに名探偵なのかい？　ざっと記事を読んでみたけど、まったく謎解き紀行になってないような気がするんだが……。これでは、ただの食いだおれレポートだよ。」

「そこが東洋の神秘ですね。」

「ふむ……。」

クイーンが、ほほえむ。

「それで、この名探偵は日本にいるのかい？」

「はい。」

「そうか……。」

楽しそうなクイーンの顔。それは、おもしろいおもちゃを見つけたときの子どものようだ。

「ひさしぶりに、おもしろいゲームができそうな気がするよ。無能な警察相手に仕事をするのには、あきあきしてたところだ。ジョーカーくん。すぐにトルバドゥールの針路を日本にむけてくれたまえ。」

「すでに日本の上空にきていますよ。」

クイーンに言われたジョーカーは、無表情で答える。

それを聞くと、クイーンはジョーカーを抱きしめた。

「まったく、きみはすばらしいパートナーだ。きみなしでは、怪盗クイーンはなにもできないよ。」

「その言葉の五十パーセントは、お世辞ですね。のこり五十パーセントは、ワインの酔いが言わせたものと受けとることができます。」

「その冷静さがないと、もっといいんだけどね……。」

「性格ですから。」

ニコリともしないジョーカーに、クイーンが肩をすくめる。

やがて、超巨大飛行船トルバドゥールは、静かに高度をさげていった。

もう一つオープニング　レーチの文学的苦悩Ⅱ　はじめてのデート編

あー、つかれた……。

朝から歩きまわったぼくは、とりあえず休憩することにした。

ゴミおき場の横にある自動販売機で、あっついジュースを買う。

プルトップをあけ、フーフーさましながら、ぼくはジュースを飲んだ。

自販機の前にすわりこみ、空を見上げる。

春のおだやかな空。太陽の光がオレンジ色に見える。体が、干したふとんみたいにホカホカしていくのがわかる。

さてと……。

ぼくは、これからの予定を考える。

とにかく、もうあんまり歩きたくない。なんせ、朝の七時から歩きっぱなし。すこし休憩しても罰《ばち》はあたらないだろう。

　では、この休憩時間を利用して自己紹介を——。

　ぼくの名前は、中井麗一《なかいれいいち》。この春休みが無事におわったら、虹北学園《こうほくがくえん》の中学三年生になる。

「れいいち」という優雅なひびきをもつ名前を、ぼくはとても気に入っている。なのに、まわりのやつらは、「れいいち」ではなく「零知《レーチ》」って呼ぶ。〝知性が零《れい》〟って意味だそうだ。

　身長は、あまり言いたくない。平均よりはかなり低くて、前へならえで両手を前にのばしたことがない。いまは育ちざかりの時期で、もっとのびるはずなんだけどな……。

　背が低いぶん、髪が長い。（関係ないか……）

　ときおり事情があってきることがあるけど、それ以外はのばしっぱなしなので、いまは背中の半分くらいまでのびている。背が低くて髪が長いから、よく女の子にまちがえられる。

　え、そんな長髪、校則違反なんじゃないかって？

　さあ……よくわかんないけど、好きでのばしてるわけじゃない。かってにのびてくるんだから、しかたがないじゃないか。

　で、どうして春休みなのに早おきして街を歩きまわってるかっていうと、すこしばかりわけがある。

ぼくには好きな娘《こ》がいる。

名前は岩崎亜衣《いわさきあい》。おなじクラスで、おなじ文芸部に入っている。

ショートカットの、かわいい娘で、ぼくよりすこし背が高い。

顔をあわせるたびに、学生服をちゃんと着ろだの、髪をきれいだの、口うるさい。自分でも、どうしてあんな口うるさいやつを好きになったのかわからないけど、好きになってしまったんだからしかたない。

え？　それとぼくが歩きまわってたのと、どういう関係があるのかって？

そう、いそがないでほしい。ちゃんと順を追って説明するから——。


ぼくは去年の夏休みに、亜衣を夏祭りにさそおうとした。そして、このときわかったんだけど、ぼくはどうも電話が苦手なようだ。亜衣の家に電話をかけようとしたら、左手はかってに受話器をおいて、心臓がすさまじいいきおいでバクバクした。高血圧の発作《ほっさ》ってのは、こういう感じなのかな……。

それ以来、わが家の旧式の黒電話とぼくは、敵対関係にある。いつか、黒電話と正面きって戦わなくてはいけないときがくるだろう。そして、その戦いに勝つことが、大人への第一歩かもしれない。

けっきょく、そのときはいろいろあって（ほんとにいろいろあって）、うやむやのうちに夏祭りはおわってしまった。その後、亜衣にさそわれて買い物につきあったことはあるけど、ぼくからさそってデートをしたことは一度もない。

だから、この春休みこそ、はじめてのデートを成功させようと一大決心したわけだ。

それにはまず、亜衣に電話をかけられないといけない。

ぼくは最初に、電話機のフックにプラスチックのカバーを瞬間接着剤で固定した。これで、受話器をおいても電話がきれない状態になる。

つぎに、受話器も瞬間接着剤で左手に固定。受話器をほうりだそうにも、これで手から、はなれない。

さあ、あとはダイヤルするだけだ。

右手が、いままでに何度も練習したダイヤルをまわしはじめる。

かんぺきだ！　はっきり言って、このときのぼくは、勝った！　と思った。

しかし——。

最後の数字をまわしおわり、指をはなそうとした瞬間、ぼくは動きをとめた。

亜衣をデートにさそったとして、どこへ行けばいいんだ？

電話をかけることばかりに気を取られて、デートのことをなにも考えていなかった……。

血の気がスッとひいていくのがわかる。視界が暗い。

いまダイヤルから指をはなせば、亜衣の家に電話がかかってしまう。指をはなすことはできない――。

約四時間後、外出先から帰ってきた姉に、ぼくはこう言った。

「アネキ、すまないけど、瞬間接着剤の除去液を買ってきてくれない？」

姉は、受話器をもってかたまってるぼくを見て、なにも言わずに除去液を買ってきてくれた。

わが家の黒電話も、なにも言わなかった。

あわれみをかけられてるようで、かえってつらかった。ふー……。


ぼくは立ちあがると、ジーパンについた土をはらう。

問題はデートコースだ。

近くには『オムラ・アミューズメント・パーク』っていう、とてつもなく巨大な遊園地があるけど、パス。亜衣は、なぜかゴールドカードをもっていて、しょっちゅう行って、あきてるからだ。ほかに知ってる場所となると学校のそばにあるお寺だけど、亜衣は行きたくないだろうな。

そんなこんなで、あちこちを歩きまわり、ぼくは虹北商店街《こうほくしょうてんがい》の入り口にやってきたわけだ。

虹北商店街は、「ゆりかごから墓場まで」がキャッチフレーズの商店街だ。そのキャッチフレーズどおり、この商店街ではあらゆるものが手に入る。商店街を歩いてデートするってのも、いいかもしれない。

まずお昼だけど、お好み焼き屋さんで食べることにした。

手帳をだして、「お好み焼き屋　一福《いっぷく》」と店の名前をメモする。フランス料理のお店もあったけど、マナーに気をつかわなくてはいけないので、パス。

時間をつぶすには、ゲームセンターもあるし古本屋さんもあるので、心配することはない。

手帳に「古本屋の虹北堂《こうほくどう》、ゲームセンター気狂《きぐる》いピエロ」とメモする。

綿密なデートの計画ができてきたので、ぼくは気楽に商店街の中をブラブラすることにした。

すると、一軒のお店の前に、えらく人だかりがしていた。

なんなんだ？

近づいてみると、そこはラーメン屋だった。『マッキーのお店』というその店は、数学の真木《まき》先生の実家だ。

人ごみをかきわけかきわけ、ぼくは中へ入っていった。

こういうとき、体が小さいと便利だ。ひじとひざを使い、なんとか最前列まで進んだ。

みんなの視線は、店の奥のテーブルに集中していた。

見ると、やたら背の高い黒い背広の男の人が、背中をまるめて、とてつもなく大きな皿に顔をうずめている。

夢水《ゆめみず》先生！

そしてそのまわりには、とてもよく似た顔の女の子が三人——。

「あれ、レーチ、なにしてるの？」

三人の女の子の一人——岩崎亜衣が、ぼくを見つけて言った。

「えーっと……。」

とつぜんのことで、ぼくの口からは、思うように言葉がでない。

「デート？」

ぼくの顔をのぞきこむようにしてきく亜衣。

ブルンブルンと音がするくらい、ぼくは、はげしく首を横にふった。

「そうよね。商店街でデートするなんて、センスないもんね。」

亜衣の言葉に、ぼくはポケットの中で手帳をにぎりつぶした。

頭の中で、黒電話がぼくの肩をポンポンとたたくのがイメージできた。「人生、先が長いよ。」ってなぐさめてくれるみたいに……。

第一章　ラーメン屋での死闘

どうも、岩崎亜衣《いわさきあい》です。

わたしをよく知ってる人には、「おひさしぶりです！」。

とくに今回は、なかなかわたしが登場しなかったので、ヤキモキしてるファンが多かったんじゃないかって、気になってたのよ。

さて、ここで、わたしのことをよく知らない人のために、すこしだけ自己紹介。

わたし、岩崎亜衣。虹北学園《こうほくがくえん》にかよう中学三年……なのかな、どうなんだろう。

いまは春休みで、この休みがおわったら正式に中学三年生になる。だから、いまは中学二・五年生かな。

クラブは文芸部。推理小説が好きで、読むだけでなく、自分でも書いたりしている。今年こそは江戸川乱歩賞《えどがわらんぽしょう》に応募して、中学生作家デビューをねらってるのは、わたしだけの秘密。（乱歩賞がダメなら、メフィスト賞よ！）

では、わたしのまわりの人物紹介を。

まず、わたしの両親――一太郎《いちたろう》父さんと羽衣《うい》母さん。

一太郎父さんはふつうのお父さんなんだけど、ちがってるのは〝超〟を何個つけてもまにあわないくらい、いそがしい人ってこと。とにかく、いっしょに食事をした記憶がほとんどない。

「七十二時間はたらけますか？」を合い言葉に、毎日毎日、仕事をこなしている。

羽衣母さんは、典型的な日本のお母さん。どんな大事件がおこっても、「あらあら、こまったわねえ。」と、ちっともこまったふうに言わず、いつのまにか解決してしまう〝たよれるお母さん〟だ。

クラスの友だちには、「亜衣のお父さんとお母さんは、とてもかわってる！」って言われるけど、わたしはそうは思わない。だって、わたしのまわりには、もっとかわった人がおおぜいいるから。

つぎに、わたしの妹たちの紹介。

わたしが長女で、二女の名前が真衣《まい》、末っ子が美衣《みい》。

わたしたち三人は、誕生日も顔形もおなじだ。なぜなら、わたしたちは三つ子だから。中学も三年生をむかえるようになって、さすがに性格はどんどんちがってきたけど、姿形は、鏡にうつしたみたいにそっくり。

真衣は陸上部に入ってる。とにかく体を動かすことが好きで、わたしたちの部屋の自分の領域《テリトリー》を、トレーニング用品でうめつくしている。このあいだまでは、よりはやく走ることを目標にしていたんだけど、最近こってるのは中国拳法《ちゅうごくけんぽう》だ。

美衣は星占い同好会に所属。新聞が好きで、毎日六種類の新聞を熟読してから学校に行っている。新聞のスクラップで、美衣の領域は、いっぱいだ。最近は、インターネットにも手をだして、そこからもいろんな情報をひきだしている。

もっとも、わたしだって自分の領域を推理小説と資料でうめつくしているから、あんまり二人のことは言えないけど……。

小さいときからいつもいっしょにいる真衣と美衣は、わたしの分身のような存在。それがうれしかったんだけど、ときどき、イヤになることもあった。だって、いつでもわたしたちは三人でワンセット。わたしは、真衣でも美衣でもなく、岩崎亜衣なのに、まわりの人はそう見てくれないからだ。

そう、見分けようと思っても見分けられないくらい、わたしたちの外見は似ている。

でも、中学生になった春に、わたしたちを正確に見分けることができる人があらわれた。それが、となりの洋館に住む夢水清志郎《ゆめみずきよしろう》！

ここからは、心して読んでね。この夢水さんが、いちばんかわってる人なんだから。

夢水さんは、わたしたちから「教授」と呼ばれている。引っ越してくるまではM大学の論理学教授をしていたそうなんだけど、研究室に本を、アパートに家賃をためすぎて追いだされた。

教授は、百八十センチを軽くこえる長身で、針金細工の人形のようにやせている。

目には、いつも黒のサングラス、そして、服はいつも黒の背広。本人は、おなじ黒の背広を何着ももっていて、ちゃんと着かえていると言ってるけど、うそっぽい。

着がえの背広のほかにもってないのは常識。とにかく常識がない。本人に言わせると、きちんと自分なりの常識をもって行動してるそうなんだけど、教授の常識は世間でいう非常識だ。

あと、記憶力もない。自分の生年月日もおぼえてない。だから、だれも教授の正確な年齢を知らない。（外見は三十代前半に見える。でも、精神年齢は十歳くらいだし、体力がないところを見ると、六十歳くらいのおじいさんにも見える）

記憶力のない教授は、かたっぱしから物事を忘れる。よくいままで生きてこられたなって感心するくらい、忘れる。ほんとに、こまったもんだ。

いままで、教授にないものばかりあげてきたけど、逆にもってるものを書いてみる。

まず、本。それも、洋館をうめつくすほど大量の。

そして、お気に入りのソファー。

「人生に必要なものは、おもしろい推理小説と、それを寝ころんで読むためのソファーだけだね。」――この頭の痛くなるような言葉は、教授のせりふだ。

それから、強靭《きょうじん》な生命力ももっている。

本を読むのに夢中で、へいきで食事するのを忘れるんだけど、一週間くらい食べなくても死なない。最近、教授の遺伝子にはゴキブリのＤＮＡがまじってるんじゃないかって、わたしは真剣に考えている。

さて、教授についていろんなことを書いてきたけど、いよいよ、いちばんかわってることを書くわね。

教授は名探偵だ。

名探偵って言葉を聞いて、あなたはなにをイメージする？

するどいわし鼻に、曲がったパイプのシャーロック・ホームズ？

それとも、よれよれのはかまにボサボサ頭の金田《きんだ》一耕助《いちこうすけ》？

でも、ホームズさんにしても金田一さんにしても、物語の中だけの話よね。

その点、教授はちがう。ちゃんと、わたしたちのとなりの洋館に住んでいる。表札には、

名探偵
夢水清志郎

って書いてあるし、教授がくばる（ばらまく）名刺にも、しっかり「名探偵　夢水清志郎」の文字が入っている。

たしかに、記憶力と常識がなくて、自己中心的でわがままで、自分が楽しむためなら、ほかの人の迷惑などおかまいなしの社会生活不適応者だけど、ほんとに教授は名探偵だ。現に、いままでにも、たくさんの事件を解決している。

わたしたちと出会うまえにも、瀬戸内海《せとないかい》でおきた『神隠島《かみかくしま》』での事件や、ふたごがそれぞれちがう場所で午前零時《れいじ》ジャストに殺された『午前零時のシンデレラ事件』などを解決している。おしいことに、教授は記憶力がないので、どんな事件だったかは語ってくれないけど、いつか思いだして話してくれたら、みなさんに紹介するね。

あと、これを忘れちゃいけないんだけど、教授は意地きたない。それはもうほんとに意地きたない。そのうえ大食らい。あの細い体のどこに入るのかって不思議なくらい、よく食べる。

そして、教授の意地きたない性格のため、いま、わたしたちは『マッキーのお店』にいることになる……。


話をきのうにもどそう。

春休みに入って、わたしは、教授の洋館で毎日毎日ゴロゴロとすごしていた。

真衣や美衣も、それぞれトレーニングにあきたり、新聞スクラップがおわったりしたら、洋館へきてゴロゴロしている。

なんてったって春休みは、冬休みや夏休みとちがって宿題がない！　これはもう、一年間がんばったわたしたちに、神様がゴロゴロとすごしなさいと言ってくれてるようなものよね。

そんなとき、美衣が新聞のチラシ広告をもって洋館へころがりこんできた。

「教授に、亜衣、真衣！　たいへんよ、たいへん！」

わたしは、美衣の「たいへん！」には慣れているので、冷やかし半分でこう言った。

「どうしたのよ？　ゴジラでもあらわれたの？」

「大きな隕石《いんせき》が落ちてきたとか？」

これは真衣のせりふ。

ソファーに寝ころんでる教授は教授で、

「お金をひろったのなら、交番へとどけたほうがいいよ。」

と、さらりと言った。

「たいへんなのよ！『マッキーのお店』で大食い大会があるの！ 春の特別メニューをぜんぶ食べられたら、五万円の賞金よ！」

「それはたいへんだ！」

わたしたちは、声をそろえてさけんだ。


で、わたしたちは『マッキーのお店』にいる。

春の特別メニューは、ぜんぶで十六種類。松花皮蛋《ソンホアピータヌ》（ピータン）にはじまり、二水果《アルシュエイクォ》（果物二種）まで。中華料理としては正式なメニューだ。そして、『マッキーのお店』の春の特別メニューは、それぞれの料理が二人前ずつだされる。

それらすべてを、二時間以内に食べつくさなくてはいけない。

常識的に考えて、できるはずがない。だから、だれも挑戦しない。挑戦するのは常識のない人間だけ。つまり夢水清志郎――教授だけになる。

教授は、広告を見たつぎの日、わたしたちといっしょに『マッキーのお店』にむかった。

いつになく教授の顔はキリッとしていた。これで目的が大食いでなかったら、なかなかかっこいいと思わせるくらいだった。

四人がけのテーブル席についた教授は、低い声で、「松花皮蛋。」と注文した。

瞬間、店内にざわめきが走る。いまはじめて、春の特別メニューにいどむ者があらわれたのだ。

そのニュースは、またたくまに虹北商店街《こうほくしょうてんがい》一帯にひろがった。

いつのまにか『マッキーのお店』はたくさんの見物人《ギャラリー》にかこまれた。だれもが、春の特別メニューが制覇される瞬間を見ようと、目をギラつかせていた。

教授が松花皮蛋を注文してから、一時間四十分がすぎた。すでに、十三種類めの八宝果飯《パパオクオファヌ》（八宝飯《はっぽうはん》）が、教授の口の中に消えようとしている。

いくら大食らいの教授とはいえ、楽な戦いではなかった。一時間をすぎたあたりから、教授のひたいには汗が浮かびはじめた。（あとで知ったことだけど、教授の食べっぷりを見ておそれを

なしたマスターが、タバスコをひと皿にひとびんずつ使いはじめたのだ）

レンゲにすくいあげられる八宝果飯。

教授の口が大きくひらく。

巨大な皿から消えていく八宝果飯。

ほおをつたう汗。

美衣が、ハンカチで教授の汗をふく。

ドキュメンタリータッチで描くと、とっても緊迫した雰囲気のなか、わたしは、まったく緊張感のない顔を見物人の中に見つけた。

「あれ、レーチ、なにしてるの？」

レーチ――中井《なかい》麗一《れいいち》。この子の説明は、また余裕があるときに、ぼちぼちとね。

「えーっと……。」

わたしにいきなり声をかけられて、とまどうレーチ。まったく、修行がたりないわね。

「デート？」

レーチの顔をのぞきこむようにして、わたしはきいた。

レーチは、ブルンブルンと音がするくらい、はげしく首を横にふる。

「そうよね。商店街でデートするなんて、センスないもんね。」

わたしが言うと、レーチは、なんだか泣き笑いのような不思議な顔をした。

レーチのポケットから、紙がつぶれるようなグシャッという音が聞こえてきた。

でもいまは、レーチがなにをしに虹北商店街にいるのかなど、どうでもいいことだった。

そして一時間五十六分が経過した。

すでに教授は、最後のメニュー、二水果にかかっている。

でてきたのは、教授の大好物のプラムとマンゴー。

ニヤリと笑う教授。

わたしたち三姉妹《しまい》は、教授の勝利を確信した。

教授の口が大きくひらき、プラムとマンゴーをまるまる、いっぺんにほおばる。

そしてタイムアップ！

すでに、プラムとマンゴーは教授の口の中から消えていた。

「オオーッ！」

はげしいどよめきが、見物人からおきた。

立ちあがって両手を天に突きだし、歓声にこたえる教授。

しかし――。

厨房《ちゅうぼう》からでてきたマスターが、教授の肩に軽く手をのせた。

「わたしの勝ちだ。」

マスターが八宝果飯の皿を指さす。

指さした先には、ごはんがひと粒のこっていた。

「たとえ、めし粒一つとはいえ、のこっている以上は完食したとは言えない……。」

マスターの言葉が店内を支配した。

ああ……。

声にならないため息が、見物人からもれる。

教授の敗北だった。


「で、だれがはらうの？」

わたしは、これで五回めになるせりふを、もう一度言った。

大食いにやぶれたいま、教授には、春の特別メニューを食べたぶんだけはらうという使命がのこった。だけど、教授は一銭ももってないし……。

「亜衣は、いくらもってるのよ?」

「真衣と、どっこいどっこい。美衣は?」

「わたし、現金《キャッシュ》はもち歩かない主義なの。」

「じゃあ、カードでもいいわ。」

「カードは、もっともち歩かない主義なの。」

こまった。戦いにやぶれた教授は、店のすみで燃えつきてるし……。

わたしたち三姉妹は、おなじテーブルにすわってるレーチをじっと見つめた。

「なっ、なんだよ……。」

六つの瞳に見すえられ、レーチがたじろぐ。

「レーチ、いま、いくらもってるの?」

「二千円くらい。」

ぜんぜんたりない。さあ、こまった……。

そのとき、『マッキーのお店』ののれんを手ではねあげ、背の高い男の人が入ってきた。

髪はまっ黒だけど、目の色が黒じゃない。人形のようにととのった顔立ちで、白い肌に飛びちったどろの黄土色が、しゃれたメーキャップみたいに見える。外国の人かな……。

まだ肌寒い春なのに、白いTシャツのそでを肩までまくっている。むらさきの作業ズボンに、足元は地下たび。頭にまいたタオルが、いま工事現場からやってきたところですと言っている。

店内にいた人たちは、いっせいにこの男の人に目をうばわれた。

だけど男の人は、わたしたちの視線を気にすることなく店内をキョロキョロ見まわし、「見つけた！」というように、店内の奥のテーブルにむかった。

そのテーブルでは一人の人——男の人？　女の人？　どっちなんだろう？　——が、大盛りみそラーメンのどんぶりをかかえこんでいた。

あふれるような金髪が茶色いラーメンのスープにつかってるのをすこしも気にせず、その人はラーメンをゾゾゾゾゾォーとすするのに夢中になっている。

それにしても、きれいな人……。入ってきた男の人も、ととのった顔立ちだけど、そのラーメンを食べてる人にくらべたら、見劣《みおと》りするような気がする。入ってきた男の人の美しさが人間の美しさだとすると、ラーメンの人は神の美しさと言ってもいいかもしれない。

でも……わからない。どうして——どうしてわたしたちは、こんなにも美しい人がみそラーメンをすすってるのに気づかなかったんだろう……。

男の人は、つかつかとみそラーメンの人に近づくと、テーブルをバンとたたいた。

ビクッとして、ラーメンの人が顔をあげる。

男の人が、なにかさけんだ。

怒ってるのはわかるんだけど、日本語じゃないので、なにを言ってるのかわからない。

「『なにしてるんです？』って言ってるよ。」

通訳してくれたのは美衣だ。

「美衣、あれ、何語？」

「フランス語ね。」

美衣は、英字新聞以外にフランス語の新聞も読んでいる。しゃべるのは苦手だけど、読んだり聞いたりするのは得意だ。で、以下は、美衣に訳してもらった言葉で書くね。

「なにしてるんです？」

「なにしてるんですじゃないよ！　きゅうに声をかけるから、びっくりしてコーンをスープの中に落としてしまったじゃないか！」

「そんな問題じゃありません！」

また、男の人がテーブルをたたく。

「静かにしたまえ、ジョーカーくん。」

M

ラーメンの人が男の人をなだめる。ジョーカーというのが、男の人の名前みたいだ。

「まったく、いつも冷静沈着なジョーカーくんらしくない。おなかがすいてるのなら、すこしこのスープをわけてあげよう。おいしいよ。」

大盛りラーメンのどんぶりを目の前にさしだされ、ジョーカーさんはおちついたみたいだ。

「わかりました、クイーン、おちつきます。おちつきますから、ゆっくり答えてください。あ、あ、あなたは、なにをしてるんですか？」

クイーンと呼ばれたラーメンの人は、ジョーカーさんに言われたとおり、ゆっくり答えた。

「大盛りみそラーメンを食べてるんだよ。きみも食べないかい？」

クイーンさんの答えを聞いて、ジョーカーさんが大きくため息をつく。

「なぜあなたが、こんな商店街の中のラーメン屋で、食事をしなくてはいけないんですか？」

「せっかくラーメンの本場にきたんだから、やはり本場の味を楽しまないと損だと思うんだが。」

「ラーメンの本場は中国です。」

冷静に訂正するジョーカーさんに、クイーンさんは、割り箸《わばし》をチッチッチと横にふる。

「わかってないね、きみは。中国のラーメンは、あくまでも中華料理のなかのひと品。しかし日本のラーメンは、それだけで独自の世界を確立している。どう考えても、ラーメンの本場は日本だよ。」

「あなたの言いわけは聞きあきました。いろいろ理由をつけて、あなたは毎日のようにラーメンを食べ歩いてるじゃないですか。」

ジョーカーさんの非難を、どんぶりに顔をつっこみ、スープを飲むことでかわすクイーンさん。

ジョーカーさんは、ため息をつく。

「で、ジョーカーくん。きみはいったい、なにをしにきたのかね？」

「あなたに、ききたいことがあるんです。ほんとうに仕事をする気があるんですか？」

その言葉に、クイーンさんは、両手をひろげて肩をすくめる。まるで外国の俳優さんみたい。

（あっと、クイーンさんは外国人か……）

「それは愚問《ぐもん》だね。つねに仕事第一のわたしへの、侮辱《ぶじょく》とも受けとれる。」

「口では、なんとでも言えます。」

冷静に受け答えしているジョーカーさん。

「それはともかく、きみのほうは順調に進んでいるのかい？」

ジョーカーさんがうなずく。その表情が、「愚問ですね。」と言っている。

それを見て、クイーンさんは満足そうだ。

「じゃあ、安心だ。こんどの仕事も確実に成功するだろう。では、前祝いをしよう。」

クイーンさんが指をパチンと鳴らす。

一流レストランなら、ボーイさんが高級ワインをもってくるような場面だけど、いまはラーメン屋のマスターがギョーザの皿をもってきただけだった。

「まだ食べる気ですか？」

ジョーカーさんが、冷ややかに言う。

「ここのギョーザは、食べるに値《あたい》するよ。」

クイーンさんは、割《わ》り箸《ばし》で、じょうずにギョーザをはさむ。

「どうも、ギョーザを食べているその姿には、怪盗の美学が感じられないのですが……。」

「それは、きみの認識のあまさだね。」

クイーンさんが、まじめな顔をする。

口のはしにギョーザのたれがついているのをさしひいても、その美しさは、やはり神が特別にあたえたもののような気がした。

「怪盗は、あらゆる一流品を愛する。一流品というものは、バカな評論家が決めるものではない。怪盗《わたし》自身が決めるものなんだよ。このラーメン屋の料理は一流だ。それは食べてみたらわかる。」

商店街のラーメン屋で熱弁をふるう美形の外国人。ミスマッチといえば、これ以上のミスマッチはないけど、不思議と似合ってるように思えてきた。

ジョーカーさんもそう思ったのか、フッとほほえんだ。

「あなたがそこまで言うのなら、ほんとうにこの店の料理は一流なんでしょうね。」

そして、皿にのこっている最後のギョーザを口にはこぶ。

「――あなたの言葉どおりです。」

ジョーカーさんが言った。

食べおわって立ちあがる二人。

まわりのお客さんは、あっけにとられて二人を見ている。（二人の言葉がわからないのだから、むりもないけど……。）

クイーンさんは、体にぴったりした白い服のポケットから小銭《こぜに》をだすと、テーブルにチャリンとおいた。

「ごっそさん！」

これはじつに流暢《りゅうちょう》な日本語だった。

二人が店からでていったあと、しばらく、わたしたちはなにも言えなかった。

わたしたちだけじゃない。ほかのお客さんたちも、ポカンと口をあけて放心状態だ。

「ぼくたちも帰ろうか。」

教授が、わたしたちを押しだすようにして店の外にでる。

みんなが放心状態のうちに、教授は食い逃げするつもりだったらしい。だけど、ラーメン屋のマスターに見つかって、しっかり請求書をわたされていた。


家へ帰るあいだに、二人がなにを話していたかを美衣から聞いた。

「夢水先生、あの二人は、ほんとに怪盗なんですか？　現代の世の中に、怪盗なんて存在するんですか？」

レーチが教授にきく。

たいていの大人を自分より無能な存在だと軽蔑《けいべつ》し、学校の先生にも敬語を使わないレーチだけど、教授に対してだけはべつだ。レーチは、（社会生活不適応者の）教授を（とても不思議なことに）心の底から尊敬してる。（なぜだろう……）

「レーチくんは、どう思う？」

逆に問いかえされて、レーチは答えにつまった。

「じゃあ、質問をかえよう。名探偵は、いると思うかい？」

この質問には、すぐに答えた。

「名探偵は存在します。現に目の前に、名探偵の夢水先生がいます。」

レーチは、この言葉を、お世辞ではなく本心で言っている。

「じゃあ、怪盗は存在することになる。」

教授が、ひとりごとのようにつぶやく。

「名探偵が存在するのなら、かならず怪盗も怪事件も存在するよ。もし怪盗や怪事件が存在しないのなら、名探偵なんか必要ないからね。怪盗も名探偵も、おなじ世界の住人だよ。そこで、おなじ赤い夢を見てるのさ。さめることのない赤い夢をね――。」

黒いサングラス。そのむこうで、教授の目は赤い夢を見てるんだろうか……。

第二章　Do you know QUEEN?

ラーメン屋さんで不思議な外国人に会った、つぎの日——。

教授の洋館を、上越《じょうえつ》警部と岩清水《いわしみず》刑事がおとずれた。

玄関にぬがれた二足の革《かわ》ぐつ。

一足はボロボロで、ぱっと見たら、日あたりのいい足洗い場に捨てられてる古ぞうきんみたいに見える。これが上越警部のくつ。

上越警部は、警視庁特別捜査課の警部さん。オムラ・アミューズメント・パークという巨大遊園地で、子どもたちがつぎつぎに消える事件がおこったときに知りあった。それ以来、みょうな事件があると、こうして教授をたずねて、事件解決に協力してもらっている。外見は、どこにでもいるふつうのおじさんだ。特徴としては、よれよれの背広と、中年太りのおなかくらいかな。

(あっと、警部はウインクが苦手!)

さて、もう一足――ア・テストーニの高級革ぐつは、岩清水刑事のもの。（ちなみに、ア・テストーニってのは、イタリアの高級皮革メーカーの名前ね）

岩清水刑事は警部の部下。長身のうえにブランド品でキメてるところは、刑事というよりファッション雑誌のモデルみたい。

刑事としては、じつに熱血で、それはもうほんとに熱血で、こわいくらい。（岩清水刑事の前でゴミを捨ててみて。確実に逮捕されるから）だけど、刑事をはなれたところでは、ブランド大好きの気取《スノッブ》りやだ。羽衣《うい》母さんに教えてもらったんだけど、こんな気取りやを「クリスタル族」っていうんだって。

さて、そんな二人が、教授の前のソファーにすわった。

教授は、くずれるようにソファーにすわっている。

わたしたち三姉妹《しまい》は、床《ゆか》へ思い思いにすわる。

「夢水《ゆめみず》さん、あんたは怪盗クイーンを知ってるかね？」

とうとつに警部がきりだした。

わたしたち三姉妹はおどろいた。きのう、ラーメン屋さんで聞いたばかりの名前が、まさか警部の口からでるとは！

でも、わたしたちのおどろきをよそに、教授は平静だ。

「くぃーん……なんですか、それは？」

……まえにも書いたけど、教授に記憶力はない。

「もう忘れたの、教授？」

「きのう、ラーメン屋さんで会ったばかりじゃない！」

「まったく、ざるみたいな頭なんだから！」

わたしたち三姉妹に矢継《やつ》ぎ早《ばや》に責めたてられて、教授は、思いだしたというように手をポンと打った。

「ああ、聞いたことがあります。じつにおいしい料理でした。」

……ダメだ、完全に忘れてる。

しかたなく、わたしたちは警部に、きのうの出来事を話した。

ラーメン屋さんにいきなり入ってきたジョーカーさんのこと――。

大盛りみそラーメンを食べてたクイーンさんのこと――。

フランス語で会話をはじめたこと――。（会話の中身は、美衣《みい》に言ってもらった）

「どうしてきみたちは、逮捕しなかったんだ！」

話を聞いて岩清水刑事が怒った。

わたしたちは、あわてて教授のうしろにキャウンキャウンと避難する。

「岩清水くん、まあ、そう怒らずに。民間人の彼女たちにそこまで求めちゃ、かわいそうだ。」

岩清水刑事をとめる上越警部を、わたしたちは「そうだ、そうだ!」と心の中で応援した。

「わかりました。では、クイーンの特徴だけでも事情聴取しておきましょう。」

背広の内ポケットから警察手帳を取りだす岩清水刑事。

「クイーンの性別、年齢、外見的特徴など、正直に話してもらおうか。へたにかくすと偽証罪《ぎしょうざい》で逮捕されるので、気をつけるように。」

鉛筆をかまえる岩清水刑事の顔は真剣だ。まったく冗談のつうじない顔。

そこで、わたしはクイーンさんについて話そうとした。だけど——。

言葉が、でてこなかった。

真衣《まい》と美衣も、おなじ。ポカンと口をあけたまま、なにもしゃべらない。

ううん、しゃべらないんじゃない。しゃべれないの。なぜなら、クイーンさんの特徴が、なに一つ記憶になかったから。

性別もわからない。年齢も、どれくらいの身長だったかも……。なに一つ、わたしたちの記憶にのこっていなかった。おぼえてるのは、とてもきれいな人だったってことくらい。

だから、わたしたちは正直に言った。「なにもおぼえてません。」って。

とたんに岩清水刑事の顔がきびしくなり、警察手帳をポケットにしまったつぎの瞬間、その右手には拳銃がにぎられていた。

「偽証罪で逮捕する！　両手をあげ、抵抗しないように！」

また、わたしたちは、キャウンキャウンと教授のうしろにかくれる。

「これこれ、岩清水くん、そうかんたんに銃をぬかないように。」

上越警部が拳銃をにぎった岩清水刑事の手をやんわり押さえる。そして、わたしたちを見て両目をギュッとつぶる。（これがウインクだとわかるのに、すこし時間がかかった）

「おじょうちゃんたちがクイーンの特徴をおぼえていなくても、しかたないよ。クイーンは、別名『ミラージュ』っていわれてるくらいだからね。」

わたしと真衣は、美衣に「ミラージュ」の意味をきいた。（教授が「車の名前だよ。」と言ってきたけど、無視した）

「『ミラージュ』は、蜃気楼《しんきろう》って意味。英語もフランス語も、おなじつづりね。」

「蜃気楼の名前どおり、クイーンには実体がない。どこにあらわれても、人々の記憶から自分のことを消すことができるんだよ。」

よくわからないけど、催眠術でも使うのかな……。

「日本ではあまり知られてないが、外国《あっち》じゃ、けっこう有名な怪盗だそうだ。どのような不可能な状況でも、確実に犯行をおこなうってね。おまけに、われわれには理解できないが、独自の犯罪美学をもっているそうでな。北欧には、たくさんファンクラブがあるって話だ。」

……どこの国にも、ひまで物好きな人っているのね。

「いままでにわかってるのは、国際警察《インターポール》から送られてきたこれだけだ。」

警部が、ファイルケースからだした一枚の書類を教授にわたす。

わたしたちも、教授の背中ごしに書類をのぞきこんだ。

怪盗クイーンについての身上書

性　別　不明
国　籍　不明（フランス語をおもに使うことから、フランス語圏の人間ではないかと推測される）

年齢　不明
身長　百五十～二百センチ
体重　三十～百五十キロ
（身長、体重については、あくまでも推測値）
瞳の色　不明
肌の色　不明
備考
・巨大な飛行船『トルバドゥール』をあやつる。
・変装の名人で、顔だけでなく身長、体型もかえることができる。
・各国の言語、文化、風習にくわしい。
・刃物を使わずに、さまざまなものを切断する格闘技を身につけている。
・旅芸人の子どもという説もあるが、詳細は不明。
・ジョーカーという名前のパートナーをもつ。（ジョーカーについても、クイーン同様、くわしい個人情報《パーソナルデータ》はない）

……こんな〝不明〟だらけの書類なら、わたしだって書けるわ。

「それからこっちが、インターネット上で公開されてる『クイーンＨＰ』をプリントアウトしたもの。」

警部がつぎにだした書類は、Ａ４サイズの分厚いものだった。

「警部、パソコンできるんですか？」

おどろいてきくわたしたちに、警部は得意そうに両目をつぶる。（あっ、ウインクしたのか）

プリントアウトされた書類は、英語やフランス語やハングルで書かれていて、わたしにはチンプンカンプンだった。あとで美衣に訳してもらおう。

言葉はわからなくても絵ならわかる。見ていると、クイーンの想像図というか、似顔絵がたくさんのっていた。

「なんで似顔絵がのってるんですか？　クイーンって、変装の名人で、だれも素顔を知らないんでしょ。」

真衣が警部にきく。

「想像するのは自由だよ。素顔をだれも知らないってことは、どんな顔をかいてもいいってことだしね。」

「変装の名人か……。なるほど、ぼくと似ていますね。」

教授がつぶやくけど、正確ではない。正確にいうと、教授のは変装ではなく仮装だ。

「で、この怪盗クイーンが、どうしたんです？」

教授がきいた。

「予告状を送ってきたんだ。」

警部が背広の内ポケットから、透明のビニール袋に入った封筒をだす。

「手袋しなくて、いいんですか？」

袋の中の封筒を素手でさわる警部に、教授がきく。

「かまわんよ。鑑識《かんしき》でしらべても、郵便局の職員以外の指紋はでなかった。」

わたしたちも、教授のうしろにまわって封筒をのぞきこむ。

淡いばら色の封筒だった。（雰囲気としては、カタカナの「バラ」じゃなくて、漢字の「薔《ば》薇《ら》」ね）

教授の長い指が封筒の中のカードをつまみだす。

流れるような毛筆の文字で書かれたカード。

「クイーンさんって……日本人？」

わたしの疑問に、岩清水刑事が答えてくれる。
「それすら、わからないんだよ。」

拝啓
ひと雨ひと雨に、春のおとずれが感じられる今日このごろ――。
みなさまにおかれましては、ますますご健勝のこととお慶《よろこ》び申しあげます。
さて、このたび、倉木《くらき》博士が新型人工知能を開発するとの情報を入手いたしました。
わたくしどもの計算では、いまから三年後に完成するという予想がでました。
よって、いまから三年後に人工知能を盗みに参上させていただきます。
いかなる警備をしかれましても、むだなことと存じます。
詳細は、また後日――。
敬具
怪盗クイーン

「この予告状がとどいたのが、いまから三年まえ。そしてこれが、きのうとどいたものだ。」

警部がだしたもう一つの封筒は、さっきのとおなじ、ばら色のもの。

拝啓
ごぶさたしております。怪盗クイーンです。おぼえておいででしょうか。

以前に予告させていただいてから、はやくも三年の月日が流れてしまいました。

ようやく倉木博士の研究も完成し、わたくしどもも万感の思いです。

それにともない、人工知能を盗む日を、一週間後の満月の夜に決めさせていただきました。

以前の予告状にも書かせていただきましたが、いかなる警備も、わたくしにはむだですので、ご了承ください。

敬具
怪盗クイーン

「…………」

「それから、これが今日とどいたもの。」

言葉のないわたしたちに、警部がもう一枚の紙を見せる。

そこには、つぎのように書かれていた。

拝啓
きのうは、とつぜんの予告状、たいへん失礼いたしました。

思えば、前々回に予告状をさしあげたのが三年まえのこと。

みなさま、わたくしどものことなどお忘れではと思い、もう一度、筆をとらせていただきました。

この日本という国で、わたくしこと、怪盗クイーンの名前がどれほど知られているかが、たいへん気になるところです。

わたくしの力は、正当に評価されているのでしょうか?

そこで、怪盗クイーンの力をよく知っていただくためにも、今日、一件の犯罪をおこなわさせていただきます。

詳細は左記のとおりです。

記

日時　本日午後八時
場所　Y市　中央美術館
標的　壇呂《だんろ》作『迷える人』

以前にも書かせていただきましたが、いかなる警備をしかれても、まったくむだです。おたがい、むだなことは極力さけるのが、かしこい方法ではないかと思います。

敬具

怪盗クイーン

追伸：この予告状とおなじ内容の書簡を、すでにマスコミ関係者に配布してあります。ご心配なく。

わたしは思った。
本気だ。一見、冗談のように思える文章だけど、クイーンさんは本気だ。

きのう、ラーメン屋さんで会ったクイーンっていう人、本気で犯罪をおこなう気でいる。

「警部、壇呂の『迷える人』って、なんですか？」

「それは、ぼくが説明しよう。」

岩清水刑事が、アルマーニの背広の内ポケットから手帳をだす。

「壇呂ってのは、現代中国美術界を代表する彫刻家だ。その作品は、ブロンズの冷たい印象を打ち消すように、人間の感情をあふれんばかりにあらわしている。なかでも『迷える人』は壇呂の代表作といってもいいものだね。背中をまるめ、左手をズボンのポケットに、右手をひたいにあてたその像からは、苦悩する人間のうめき声が聞こえてくるようだ。」

後半、岩清水刑事の口調が、美術解説書を棒読みしてるみたいになってくる。

「その像って、高いんですか？」

「現在の市場価格は知らないけど、Y市の中央美術館が購入したときは、バブル期ってこともあってか、十億円はらったって聞いている。」

十億円！

横から教授が、ひじでつついてくる。なにをききたいかはわかっているので、わたしは小声で答える。

「教授、十億円ってのは日本円だからね。」

するとは、教授はフンフンとうなずいた。（やっぱり、「十億円って、日本円にしていくらなんだい？」って、きくつもりだったのね）

「そのY市の中央美術館にある『迷える人』を、クイーンは盗む気なんですね？」

「うん。正確には美術館の庭にあるんだけどね。」

えー、どういうこと？　なんでそんな高い彫刻が、庭で雨ざらしになってるのよ！

「壇呂の主張するところによると、すべての彫刻は、自然の中において鑑賞すべきものなんだそうだ。太陽の光を浴び、雨にあたり、風に吹かれることが、作品をより完成させていくと言っている。」

ふーん……。芸術家の考えることって、よくわかんない。

「おもしろいですね、じつにおもしろい。」

教授が、ひとりごとのようにつぶやく。黒いサングラスの奥の目が、かがやいてる。

いまの教授になにを言っても、むだ。雰囲気がすでに「名探偵モード」になっている。

「上越警部や岩清水刑事には理解しにくいかもしれませんが——。」

教授がソファーから立ちあがる。

「このクイーンは、本物の怪盗でしょう。警部たちが、どれだけかんぺきな警備をしたとしても、おそらくクイーンは『迷える人』を盗みだすでしょうね。」

断言する教授。その言葉には、だれもさからえない迫力がある。

「このクイーンと対等に戦える人間は、おそらく名探偵のぼくだけでしょう。ほかのだれも、クイーンと戦うことはできない。」

教授が、警部に人さし指を突きつける。

「はじめましょうか、退屈な日常を吹きとばす名探偵対怪盗の物語を——。」

第三章　It's a GOLDENTIME!

夜の七時——冬にくらべてかなり昼間が長くなったとはいえ、この時間になると、太陽は完全に姿を消している。

桜にはすこしはやいのだが、Y市の中央美術館のそばにある桜並木からは、花見客のにぎやかな声が聞こえてくる。

でも、そのにぎやかさも、このY市の中央美術館のまわりでは、かすんでいた。

とにかく、すごい車と人の量。

美術館を取りまくように、警察関係の車と人。

そのまわりを取りかこむように、マスコミ関係の車と人。

さらにそのまわりを取りかこむ、一般の野次馬連中の車と人。

パニック映画の群衆シーンをとるには、もってこいの風景だ。

そして、人が集まるところには、かならずやってくる、タコ焼きと、綿菓子《わたがし》と、金魚すくいの屋台。

空を見上げると、マスコミ関係のヘリコプターが、パラパラパラパラとハエのように飛んでいる。それをバックに、ワイドショーでおなじみのレポーターが、

「怪盗クイーンの予告時間まで、とうとう一時間をきりました。ほんとうに、クイーンはあらわれるのでしょうか。また、予告どおり、壇呂《だんろ》の『迷える人』を盗むことはできるのでしょうか。わが局は、随時CMをはさみながら、現場からの生中継でお送りします。」

と、眉間《みけん》にしわをよせ、深刻な口調で話している。（そこまで深刻になるのなら、CMなんかはさまないで、ずっと中継したらいいのに）

わたしたち三姉妹《しまい》と教授、それから付録としてついてきたレーチの五人は、人ごみをかきわけて美術館に進む。

すると、幸運なことに警部のほうから声をかけてくれた。

「上越《じょうえつ》警部〜、この人ごみ、なんとかしてよ〜。」

わたしたちが泣きつくと、

「おじょうちゃんたち、この近くに美術館を見おろせる小高い丘があるんだ。そこなら、マスコ

ミも野次馬もいないから安心だ。そこへ行こう。」

「あれ、警部、現場で警備をしなくてもいいの？」

「心配ないよ。これだけ警官がいるんだ、一人くらいいなくても影響ないさ。」

そう言って、警部は両目をギュッとつぶった。（あっと、ウインクしたのね）

警部に案内してもらった丘は、たしかに人気《ひとけ》が少なく、おちついて美術館を見おろすことができた。

「さあ、レーチ、シートをしいてよ。」

「なんで、おれが荷物もちをしなくちゃいけないんだよ。」

ブツブツ言いながら、レーチがビニールシートをひろげる。

「まあ、レーチって、そんな非紳士的な人間だったの？」

白々しくほおに手をあてて言うのは、真衣《まい》だ。

「あの人ごみの中、レディーに荷物をもたせるなんて、やさしいレーチらしくないんじゃない？」

これは美衣《みい》。

「そのとおり。教授を見てよ。なにも文句言わずに、大きなリュックをもってきてくれたじゃない。」

わたしの言葉に、レーチがかみつく。

「あのリュックには、お弁当やお菓子がいっぱい入ってるんだろ。はこぶなって言っても、夢水《ゆめみず》先生ならはこぶさ。」

それはそうだ。現に教授は、わたしたちの言いあいなどにすこしも興味をしめさず、ビニールシートの上に、リュックからだした食料を楽しそうにならべている。すっかり遠足気分だ。(教授、今夜なにをしに美術館へきたか、おぼえてるのかな)

「予告の時間まで、あと三十分か……。」

腕時計を見た警部が、教授のとなりに腰をおろす。

教授は、警部の言葉が聞こえてるのか聞こえてないのか、お弁当を食べるのに夢中だ。

「夢水さん、あんたは、ほんとうにクイーンがくると思ってるのかい?」

「ふぉふぉっへふぁふふぉ。」

言葉といっしょに、ごはん粒も口から飛びだす。

「教授、お行儀! いいかげんで、ごはんを口に入れながら話しちゃダメってこと、おぼえてよ！」

教授のしつけ係の美衣が、きびしい目で教授をにらむ。

怒られた教授は、こんどはちゃんとごはんをのみこんでから、もう一度言った。

「思ってますよ。かならず怪盗クイーンはあらわれるでしょう。」

「ほう、どうしてかね？」

「論理的でない説明になりますが、ぼくにはわかるんですよ。」

「しかし、あらわれたとして、ほんとに『迷える人』を盗めるとは思えんがな。」

そして警部は美術館の庭を指さす。

「あの、中央でいくつもの照明を浴びてるのが、『迷える人』だ。」

そこだけが真昼のように明るくなっていた。そして、まわりにはたくさんの警官。さらに、美術館を取りかこむ、マスコミ関係者と野次馬たち。

「これだけの人数をどうやって突破して、『迷える人』に近づくんだね？　かりにたどりついたとしても、どうやって逃げるというんだ？」

「いくつか、ぼくの推理をお話ししましょうか？」

教授がおちついた声で言う。口のはしにごはん粒がついていなくて、タコさんウインナをくわえていなかったら、かなりかっこよく決まるせりふだったんだけどな……。

「まず、ぼくが不思議に思ったのは、予告時間です。」

ウインナを食べた教授が、こんどは、から揚げに手をのばす。

「なぜ、午後八時という時間をクイーンはえらんだのか？」

「理由なんてないんじゃないの。ただ、てきとうに八時と決めただけで。」

真衣の言葉を、から揚げをはさんだ箸《はし》をチッチッチと横にふって、教授が否定する。

「クイーンは、そんな理由のないことをする人間とは思えません。それに、ふつうに犯行を予告するのなら、もっと深夜の時間帯を指定するでしょう。そのほうが、警備の人たちのつかれをさそうことができますから。なのにわざわざ、クイーンは午後八時という時間をえらんだ。この理由は、クイーンが予告状をマスコミ関係にくばっているということからわかりました。」

「どういうこと？」

美衣が首をかしげる。

教授は、美術館を取りまくマスコミ関係者を見まわして言った。

「午後八時という時間帯は、テレビのゴールデンタイムだよ。」

ゴールデンタイム——いちばん視聴率がかせげる時間帯。だから、どのテレビ局も、たくさんの機材とスタッフを送りこみ、生中継に夢中なんだ。

「クイーンは、マスコミを扇動《せんどう》し、とにかくたくさんの人間を美術館に集めたかったんです。」

「なんのために？」

「三つほど理由が考えられますが、そのまえに、そろそろ正体を明かしてくれてもいいんじゃないですか？」

教授が警部の顔をのぞきこむ。

「なんのことだね？」

「あなた、怪盗クイーンでしょ。」

えー、教授、なにを言ってるの！

わたしたち三姉妹とレーチは、おどろいて警部を見た。

すると警部は、フッと肩の力をぬいて言った。

「どうしてわかったんだい？」

その声の雰囲気は、さっきまでの警部とはぜんぜんちがっていた。表情も、つかれた中年の警部の顔じゃなくなっている。いま教授の横にいる人は、あきらかに上越警部じゃない。

「ものまねの基本は、まねする人の特徴をおおげさに表現することです。だけど、いくらなんでもやりすぎましたよ。上越警部のウインクがへただってことは、よくしらべたと思います。しかし、本物の警部は、ウインクがへたなことを気にしてて、そう何度もしないんですよ。なのにあなたは、今日一日で三回もやった。」

「わたしの芸術的な変装を、ものまねとおなじレベルで論じるとはね。」

苦笑するクイーンさん。

だけど上越警部がクイーンさんだったってことは、昼間いっしょにきた岩清水《いわしみず》刑事は……。

「昼間の岩清水刑事は、あなたのパートナーのジョーカーですね。」

教授に言われて、クイーンさんは、うれしそうにうなずく。

「なるほど。たしかにきみは名探偵だよ。ジョーカーくんの情報に、まちがいはなかった。」

「ぼくは、名探偵の夢水清志郎《きよしろう》です。」

教授が背広の内ポケットから、

名探偵
夢 水 清 志 郎

と書かれた名刺をだして、クイーンさんにわたす。

「あいにく、わたしは名刺を交換するという日本的習慣にうとくてね。」

クイーンさんが教授の名刺を、たいせつそうにしまう。

「あなたが上越警部でなく怪盗クイーンだと思った理由は、ほかにもあるんですよ。あなたからは、このあいだ食べていた、『マッキーのお店』の大盛りみそラーメンとギョーザのにおいがしましたから。」

おどろくクイーンさんと、わたしたち三姉妹、レーチ。

クイーンさんがクンクンと自分の体のにおいをかぐ。

それを見て、教授は愉快そうに笑った。

「冗談ですよ。」

「いや……きみなら、なんとなくできそうな気がしてね……。」

その意見に、わたしたちもうなずいた。こと食べ物に関する教授の嗅覚《きゅうかく》は、犬なみなのだ。

「では、名探偵の夢水くんに質問しよう。怪盗クイーンは、いかにして警察の警備網をくぐりぬけ、『迷える人』を盗むのだろうか?」

「飛行船を使うんでしょう。」

教授があっさり、クイーンさんに答える。

「地上からは、『迷える人』に近づくのすらむずかしい。となると、考えられるのは地下からか空からか、どちらかになります。そして、あなたは巨大な飛行船を――。」

「わたしの飛行船には、トルバドゥールという優雅な名前がついていてね。」

「失礼しました。トルバドゥールを使って、空から『迷える人』を盗む気ですね。」

「プロディジュー！」

クイーンさんが手をたたく。

「やはり、きみは名探偵だ。これで、こんどの仕事は確実に楽しいことになる。いや、じつにうれしい！」

クイーンさんが立ちあがった。

教授も立ちあがる。

さっきまで小太りだったクイーンさんの体が、教授とかわらないくらいの長身になっていた。すらりとした手足が、くたびれた背広の、そで口とすそからのびている。でっぱっていたおなかも、ひっこんでいる。

「最後にもう一つ、きかせてもらいたいんだが、きみは、わたしを逮捕する気はないのかね？」

「ありません。」

教授は、きっぱり答える。

「あなたがつかまったら、つぎの満月が退屈になるでしょ。」

その答えに、クイーンさんはほほえんだ。

「では、つぎの満月の夜を楽しみに。」

クイーンさんがウインクする。顔は上越警部のままなんだけど、とてもじょうずなウインクだった。

そして、よれよれの背広を右手ではぎとるようにぬぐ。

すると、その下からは、黒のタキシードとマント。

左手でぬぐうように顔をなでると、ラーメン屋さんで会ったときの美形があらわれた。

最後にマントのすそをひくと、それがそのまま、小さなハンググライダーになる。

「オールボワール（ごきげんよう）、夢水くん！」

クイーンさんの体が、風に吹かれる木の葉のように舞いあがる。

その姿に最初に気づいたのは、野次馬の一人だった。闇をきりだしたような、まっ黒い鳥が飛んでいると思ったそうだ。

やがて、その姿に気づいた人々がふえていき、警官隊も気づいた。

警官隊は全員、銃をぬいたけど、発砲はできない。発砲命令がでないからだ。

これだけテレビ局のカメラが見ているなかでは、上層部もなかなか命令をだせない。まだクイーンさんはなにも盗んでいないのだから、この段階で発砲すれば、警察に非難が集中する。野次馬連中も、だまっちゃいないだろう。

でも、警官のなかには、命令など関係なしに発砲しようとする者もいる。岩清水刑事だ。彼は、安全装置をはずし、撃鉄《げきてつ》をおこした段階で、まわりの警官たちや上越警部（本物よ）に取りおさえられた。（このようすを見てるかぎりでは、クイーンさんより岩清水刑事のほうが悪人に見える）

「これが、クイーンが人を集めた理由だよ。へたに警察が手出しできないように、群衆を味方につけたのさ。」

教授が楽しそうに言う。

さっきから教授は、すごく上機嫌だ。クイーンさんという自分によく似た人間に出会えて、うれしくてしかたないんだろう。

そうこうするうちに、クイーンさんは『迷える人』の頭の上におりたった。

いっせいに警官たちが飛びかかろうとしたけれど、さりげなくマスコミ関係者が警官のじゃまをする。（だって、これからがすてきなショーのはじまりじゃない。いま、クイーンさんをつかまえちゃったら、それこそ「金かえせ！」って気分よ）

たくさんのテレビカメラが、クイーンさんをとらえる。

「ボンソワール（こんばんは）、日本のみなさん！」

あれ？ なんでだろう。クイーンさんの声が、マイクをとおしたみたいに大きく聞こえる。

わたしがきくと、

「マイクをとおしてるのさ。さっき、黒のタキシードの胸のところにマイクがついているのが見えたよ。」

教授はそう言った。

「でも、スピーカーはどこにあるの？」

美衣の問いには、教授はだまって夜空を指さす。

「クイーンの飛行船――トルバドゥールについてるんじゃないかな。もしくは、美術館の中庭に事前においていたか。」

それにしても、テレビ局関係者は大喜びだろう。なんてったってクイーンさんは、神が特別につくったような美形。おまけに、音声にまで気をつかうエンターテイナー精神をもっている。これだけテレビむきの素材を手に入れることができたんだから。

「わたしの名前はクイーン。怪盗を生業《なりわい》とするものです。」

クイーンさんが言った。(クイーンさんって、ほんとに外国人? 「生業」なんてむずかしい言葉、日本人だって、あんまり使わないわよ)

「今宵《こよい》は、つぎの仕事をするにあたって、日本のみなさまに、すこしでもクイーンのことを知っていただこうと参上いたしました。以後、お見知りおきのほどを。」

右手を胸にあてて、優雅に礼をするクイーンさん。これで女性ファンがふえただろうな……。

「さて、あらかじめ警察には、いかなる警備もむだだという予告状を送らせていただきました。それなのに、このたくさんの警備。まったく、日本の警察は、むだなことに税金を使いますね。」

クイーンさんは肩をすくめる。

すると野次馬の中から、「税金のむだづかいは、やめろ!」という声があがる。

うまいな、クイーンさん。完全に野次馬とマスコミを味方につけてる。

「警察が、はりきって、わたしを逮捕しようという気持ちはわかります。しかし、無能な警官が何万人集まっても、わたしをつかまえることはできません。わたしをつかまえることができると

したら、それはおそらくただ一人――。」

クイーンさんが言葉をきる。（ここで、テレビカメラがいっせいに、クイーンさんをアップにする）

「名探偵の夢水清志郎くんだけでしょう。」

野次馬たちから、「おおー！」というどよめきがおこる。

わたしたち三姉妹とレーチもおどろいた。

だけど、教授はとうぜんという顔をしている。

「教授、びっくりしないの？」

「クイーンさんが、名ざしで挑戦してきたのよ！」

「大丈夫なの？」

わたしたちに矢継《やつ》ぎ早《ばや》に言われても、平然としている教授。

「だって、クイーンの言うことは正解だよ。クイーンをつかまえることができるのは、ぼくしかいない。名探偵の夢水清志郎しかね。」

……どっから、この底知れない自信はわいてくるんだろう。

「さて、まもなく予告した午後八時になります。」

クイーンさんが腕時計を見る。（テレビ中継で見てた人に教えてもらったんだけど、クイーンさんの腕時計はスイスの高級時計メーカー、BOVET《ボヴェ》社製のものなんだって）

「では、『迷える人』といっしょに退場させていただきましょう。」

この言葉で、警官たちにざわめきが走った。

警官たちだけじゃない。マスコミ関係者も野次馬たちも、ブラウン管をとおして見ている人たちも。

いったいどうやって、怪盗クイーンは、逃げるつもりなのか。

わたしがきくと、

「トルバドゥールだよ。」

教授がつぶやく。

「でも夢水先生、空には、マスコミ関係以外にも、警察のヘリコプターがたくさん飛んでいます。へたに近づけませんよ。」

教授の言葉にレーチが反論する。でも、

「レーチくん、空は広いんだよ。」

教授は、そう言っただけだった。

教授の言葉がおわると同時に、はるか高空から、クイーンさんの前にワイヤーロープがおりてきた。

「マスコミのヘリは、遠くからでは撮影できない。警察のヘリも、遠くからでは警備にならない。クイーンは、それらよりすこし高い空に、トルバドゥールを待機させていた。」

教授がタバコをだして火をつける。

「じつによく考えられている。」

そのとき、ワイヤーロープに固定された『迷える人』とクイーンさんが、夜空に浮かびあがった。

「ボンニュイ（おやすみ）！」

このままでは、逃げられると思ったのだろう。警官の一人が発砲した。（たぶん、岩清水刑事ね）それにつづいて、何発もの銃声。

でも、下から見上げるような標的には、なかなか弾《たま》はあたらない。おまけに、トルバドゥールにひきあげられるクイーンさんは、高速で移動しているから、なおさら。

警察は、美術館を取りかこむマスコミ関係者と野次馬たちのために、まったく身動きが取れなかった。

飛行船を追いかけようにも車は動けない。

走ろうにも、人がじゃまでどうしようもない。

「どかないと、公務執行妨害でかたっぱしから逮捕するぞ!」

岩清水刑事がさけんでも、まったくのむだ。

「クイーンはね、警察が動けないようにするためにマスコミを扇動したのさ。マスコミが動けば、無責任な野次馬も動く。ねらいどおりだね。」

教授が冷静に説明する。

警官たちのどなり声とくやしがる声をバックに、トルバドゥールは遠ざかっていく。

「オールボワール!」

クイーンさんの声が、空から聞こえてきた。

こうして怪盗クイーンは、『迷える人』とともに闇の中に姿を消していった。

第四章　倉木《くらき》博士の研究所へ

「はっきり言って、今回は警察の面目まるつぶれと言えるな……。」

青汁《あおじる》を五百杯くらい飲みほしたような顔をして、上越《じょうえつ》警部が言った。

そのとなりでは、岩清水《いわしみず》刑事が手錠をもてあそんでいる。雰囲気としては、青汁八百杯くらいかな……。

二人の気持ちもよくわかる。なんたって、全国放送されるなかで怪盗クイーンに面目をつぶされたんだから。おまけに、警察では相手にならないからって、教授を指名されるし……。

「まあ、そうカリカリしないで。こぶ茶でも飲んで、おちついてください。」

教授が、二人の前にこぶ茶をだす。

ここは教授の洋館。教授は、いつもの調子でソファーにくずれるようにすわっている。その前には、上越警部と岩清水刑事。わたしたち三姉妹《しまい》は、フローリングの床《ゆか》にじかにすわっている。

（お手製のクッションをもちこんでるので、床に直接すわっても快適）

それから、今日はレーチもいて、床に寝っころがって、吉村達也《よしむらたつや》の『カサブランカ殺人事件』を読んでいる。

「とにかく、用件を先に伝えよう。」

警部の顔が、青汁九百杯くらいになる。

「上層部は、倉木伶《れい》博士が開発された新型人工知能の警備に、民間人の夢水清志郎《ゆめみずきよしろう》——つまり、あんたを指名した。サポート役に、わしと岩清水くんの二人。以上だ！」

「正確に言うと、民間人にして名探偵の夢水清志郎ですね。」

得意げに言う教授。警部の青汁の量がふえる。

「わしは、こんなかたちで民間人の協力を得るのには、最後まで反対したんだがな……。たしかに、夢水さん、あんたの推理力はたいしたもんだと思う。だが、今回のような泥棒をつかまえるのに、なにも民間人にたのむ必要はないと思うんだが……。」

「上越警部は将棋をさせますか？」

とつぜんの教授の質問に、警部がキョトンとする。

「こまの動かし方くらいならな。」

「岩清水刑事は？」

「ぼくはアマチュア四段です。」

「わかりました。では、お二人は中将棋《ちゅうしょうぎ》を知ってますか？」

中将棋？　なにそれ？　はじめて聞いた。上越警部と岩清水刑事も首をひねっている。

「ふつうの将棋盤は縦横九ますですよね。でも、中将棋は縦横十二ますで、こまもぜんぶで九十二枚ある将棋なんです。いまではあまり知られてませんが、中世から近世にかけておこなわれました。」

つくづく不思議に思う。教授は、自分の年齢さえおぼえられない記憶力のもち主なのに、どうしてこんな、実生活に役立たないどうでもいいことばかり、おぼえてるんだろう……。（だから社会生活不適応者なんだけどね）

すこし気になったわたしは、教授にきいてみた。

「教授、オタマジャクシが大きくなったら、なにになるか知ってる？」

「ナマズだろ。」

「…………」

話を元にもどしたほうがよさそうだ。

「それで、その中将棋が、なにか関係あるのかね？」

「ふつうの泥棒ってのは、いってみれば将棋だけを知ってるような犯罪者なんです。でも、怪盗クイーンのレベルの犯罪者は、将棋だけでなく中将棋も知っている。」

「つまり、将棋しか知らない警察官には、中将棋も知ってるクイーンを、つかまえることはできないということか……。」

「そうなります。」

「ふーむ……。」

考えこむ警部。

そんなに考えこむことないよ、警部。だって教授は、中将棋は知ってるけど、オタマジャクシが大きくなったらカエルになることを知らないもん。

「納得しにくいが、今回の件は、あんたにまかせたほうがよさそうだな。」

警部が、背広の内ポケットから一枚の地図をだす。

「これが倉木博士の研究所への地図だ。あした、むかえにくるから、準備をしておいてくれ。」

この瞬間を、真衣《まい》は見のがさなかった。

「ねえ警部、教授が行くのなら、ぜったいに保護者がいると思わない！」

真衣のあとに、わたしと美衣《みい》がつづく。

「飼育係もいるわ！」

「しつけ係は、ぜったいね！」

わたしたちの言葉を聞いて、レーチもおきあがってくる。

「優秀な探偵には、優秀な助手は必需品です。」

ポケットから名刺をだして、警部にわたすレーチ。そこには、

夢水清志郎探偵事務所
第一助手　中井《なかい》麗一《れいいち》

と書かれていた。（第二助手がいないのに第一ってつけるところが、悲しい……）

このあいだから、文芸部のワープロでなにか遊んでると思ってたら、こんなものをつくってたのね。

「どうしますか？」

岩清水刑事が警部にきく。

「つれてったほうがいいだろうな。少なくとも、この子たちのほうが、われわれより夢水さんのあつかいがうまいだろうから。」

そりゃそうだ。

「ただし――。」

警部が、人さし指をわたしたちに突きつける。

「ぜったいに、危険なまねをしないこと。それから、今回、怪盗クイーンが人工知能をねらってることは、マスコミにももれてない。よって、だれにも話さないこと。」

「は～い！」

わたしたちは、これ以上ないってくらいの優等生の返事をした。

こうして、わたしたちは倉木博士の研究所に行くことになった。怪人《かいじん》二十面相《にじゅうめんそう》と戦う明智小五郎《あけちこごろう》と少年探偵団ならぬ、怪盗クイーンと戦う夢水清志郎と少年少女探偵団だ。

なにかの本に書いてあった。「情報を死守することは不可能である。だれかの口からもれた情報は、水に落としたインクのようにひろがる。」って。

わたしは、この言葉が正しかったことを、つぎの日の朝、体験することになった。

翌朝、上越警部と岩清水刑事がむかえにくるまえに、洋館の前にポチ1号がとまっていた。そしてそのそばには、

「春らしゅうなったちゅうても、まだまだ、朝方はさぶいなあ。」

ドライバーズグローブをはめた女性が立っていた。

伊藤真里《いとうまり》さんだった。雑誌『セ・シーマ』の編集者で、とってもパワフルな人。以前いっしょに取材に行ったときは、まるまる三日間、一睡もせずに仕事をしていた。見た目はまじめな女子大生風なんだけど、中身は超バリバリのキャリアウーマンだ。

スズキアルトワークスという軽自動車が伊藤さんの愛車で、ちゃんと『ポチ1号』って名前がつけてある。運転技術はたいしたもので、いままで無事故無違反だ。（正確には「無届け無検挙」で、「あの運転で、まだ生きてるのが不思議だ。」という客観的な声も紹介しておこう）

「伊藤さん、どうしたんです、こんなに朝はやくから……。」

美衣がきくと、

「倉木博士の研究所に行くんやろ。うちも送ってってたろと思て。」

いったい、どこから情報を入手するのか……。

そのうち、上越警部と岩清水刑事がパトカーでやってきた。

「ああ、警部はん、おひさしぶり！　今日は、よろしゅうたのみます。」

それを聞いて警部の顔が、また青汁を飲んだみたいになる。そして、だれがもらしたんだというう目で、わたしたちをにらみつける。

もちろん、わたしたち三姉妹とレーチは、心あたりがないので、はげしく首を横にふる。

「マスコミ関係者をなめたらあかんて。おおかたのマスコミは、怪盗クイーンが倉木研究所の人工知能をねらっとるんを知っとるで。」

上越警部と岩清水刑事の肩が、ガックリと落ちる。

「まあ、そない気にせんとき。みんな、情報知っとっても、取材する気はないみたいやから。」

二人をなぐさめる伊藤さん。ぜんぜん、なぐさめになってないことに、気づいてない。

それにしてもどうして、ほかの記者さんたちは取材する気がないんだろう。

「さあ、細《こま》いことはおいといて、出発しよか！」

伊藤さんは元気だけど、みんなは、どこかつかれた顔をしている。

そのとき、美衣が気づいた。

「あれ、教授がいないよ。」

言われてみれば、そのとおり。いちおう本日の主役である教授がいない。

どうやら、まだ寝てるみたいだ。まったく……。

教授は、基本的生活習慣と、まったく無縁の人間だ。ねむくなったら寝る。満足いくまで必死で寝る。しぜんに目がさめるまでは、ぜったいにおきない。よって、目ざまし時計など、洋館に存在しない。

「だれがおこしにいく？」

わたしがきくと、

「パス！」

「わたしも、やだ！」

真衣と美衣が拒否する。

「なんだよ、夢水先生をおこすだけなんだろ。おれが行くよ。」

教授をおこした経験のないレーチが気軽に言って、洋館に入っていく。

レーチは知らないんだ。教授の寝おきが、むちゃくちゃ悪いってことを。

しばらくして、洋館からレーチの悲鳴が聞こえてきた。

そして、みょうにさわやかな顔をした教授と、長髪をふりみだしたレーチがでてきた。

「すばらしい天気だね。さあ、出発しようか。」

教授がのびをして言う。

レーチは、なにも言わない。ぐったり、つかれている。

いったい、教授がおきるまでになにがあったのか？

わたしは、こわいので、きかないことにした。

つぎに、だれがどの車に乗るかで、すこしもめた。わたしたち三姉妹はぜったいにパトカーに乗ると主張したし、教授はポチ1号に乗りたいとだだをこねた。

「できたら、夢水さんには警察車両に乗ってもらって、警備の打ちあわせとかをしたいんだがな……。」

上越警部がそう言うけど、教授は聞く耳をもたない。ポチ1号のタイヤにしがみついて、はなそうとしなかった。

わたしたちも、そんな教授を応援した。だって、教授がパトカーに乗ったら、わたしたちがポチ1号に乗らなくちゃいけないじゃない！

「なんで亜衣《あい》たちは、伊藤さんの車に乗るのが、そんなにイヤなんだ？」

ポチ1号に乗ったことのないレーチが、無邪気にきいてくる。

理由を知りたいのなら、一度ポチ1号に乗ってみればいい。そうすれば身をもって知ることができる。体験にまさる知識なし！

こうして、わたしたち三姉妹はパトカーに、教授とレーチはポチ1号に乗ることになった。なにも知らないレーチに合掌……。

倉木博士の研究所は、山あいの国道をずっと走った先の、左山《さやま》というところにある。**（図1参照）**

走りだして五秒で、ポチ1号は見えなくなった。わたしたちの車を追いぬいていくとき、後部座席の窓からは、スピードにひきつったレーチの顔が見えた。もちろん、絶叫マシーン大好き人間の教授は、助手席で楽しそうにはしゃいでいた。（レーチ、ご愁傷様《しゅうしょうさま》……）

わたしたちのパトカーは、制限速度を守り、じつに安全快適に左山をめざした。（パトカーなんだから、あたりまえだけどね）

左山のふもとにつくと、ポチ1号もそこでわたしたちを待っていた。その車内を見ると、後部座席でレーチが気絶している。

「なんや、寝不足みたいやな。走りだしてすぐに、レーチくん、寝てったで。」

レーチは気絶してるんだけど、それが理解できない伊藤さんは、のんきに言った。

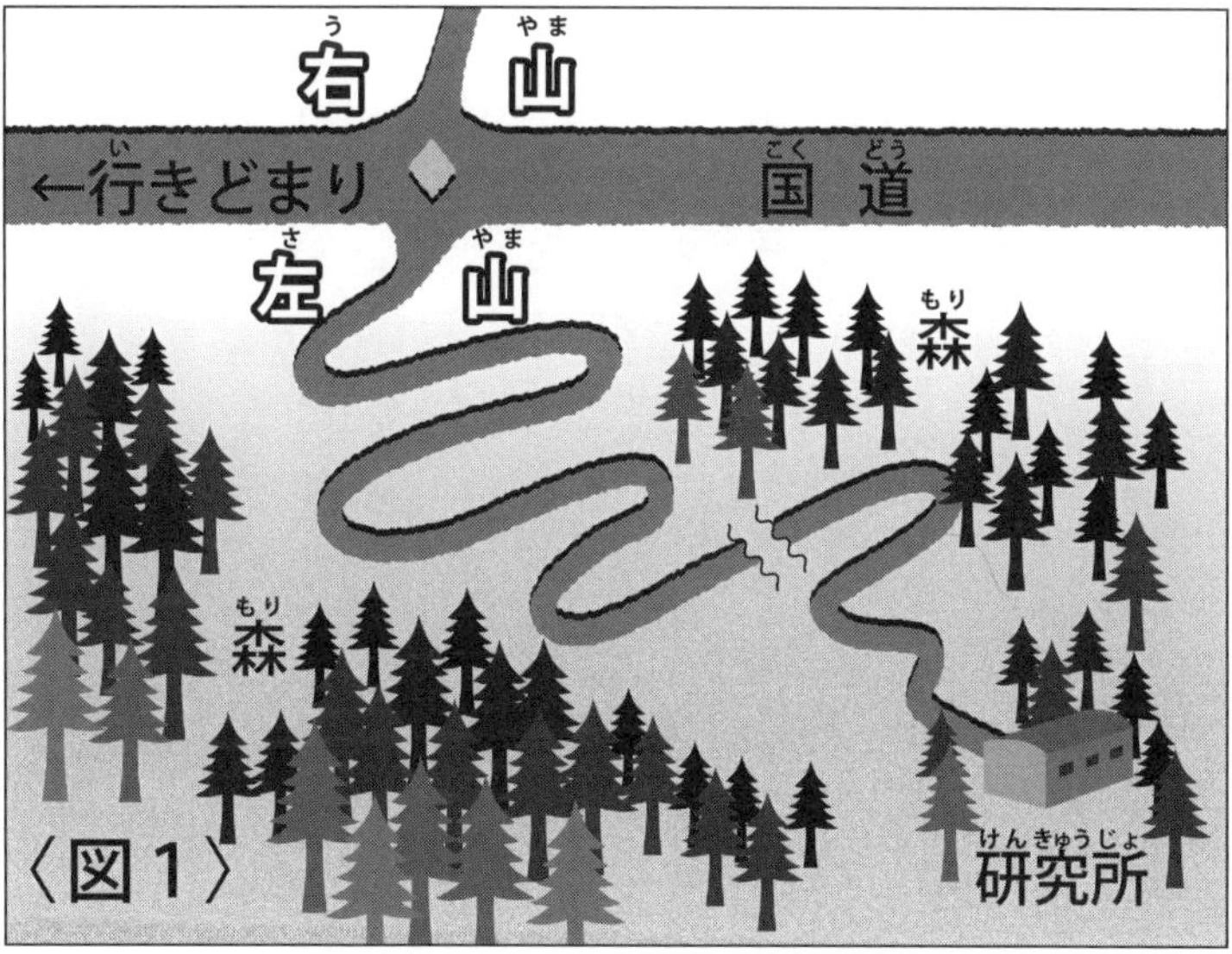

〈図1〉

　この先、国道は行きどまりになる。そこは、左山へのぼる道、その反対側にある右山《うやま》へのぼる道、そして行きどまりになる国道——の三本の道が、駅前ロータリーのようになっていた。

「警部はんらもきたし、出発しよか。」

「あっと、伊藤さん。」

　ドライバーズグローブをはめ直した伊藤さんに、警部が言う。

「ここからは、われわれの車のあとを、ついてきてもらいましょうか。」

「えー、なんでえ！　パトカーのうしろ、ちんたら走っても楽《たの》しないやん！」

　伊藤さんは不満そうだ。

「あなたが楽しめるスピードでは、何度も免停にしておつりがくるんですけどね……。」

きびしい表情で警部が言う。

「は〜い！」

免停にされたらたまらない伊藤さんは、すなおにしたがった。

国道から左山への道は、ぐねぐねの山道。道の両側も木が幾重にもしげっていて、まったく見通しがきかない。いまの日本では、こんな植林されてない山は、とてもめずらしい。

太古から生きつづけてる樹木たちが、誇らしげに自分たちの枝葉を空高くのばしているその森をかきわけるように、研究所までの道がついていた。この道は、研究所までの一本道で、とにかく走ってたら研究所につくから気楽だ。

パトカーを運転する岩清水刑事は、あぶなげなくハンドルをきっていく。バックミラーを見ると、不満そうな顔でポチ1号を運転する伊藤さんが見えた。

車内で、わたしは上越警部にきいた。

「もうすぐ倉木博士の研究所なんですよね。」

うなずく警部。

「それにしては、警備がうすすぎませんか？」

わたしたちの乗った車は、いままで一度も停止させられていない。映画やドラマのイメージだと、こんな重要な研究所に行くまでには、何度もとめられて、身分証明書を見せるように言われたりするんだけどな……。

「理由は二つある。」

警部が、ルームミラーに指を二本うつす。

「わしもくわしくは知らないんだが、一つの理由は、倉木博士の開発した人工知能は、盗みようがないってことだかららしい。」

「盗みようがないって？」

真衣がきくと、警部は肩をすくめた。言葉どおり、警部にも、くわしくはわからないんだろう。それに、盗みようがないってのは、なんとなく真実味があるような気がする。でなきゃ、いくらクイーンさんに名ざしされたにしても、教授を警備につけたりしないもんね。

「もう一つの理由は、このあいだの件で、上層部《うえ》のほうも、こりてるんだ。」

「このあいだの件って？」

「『迷える人』が盗まれたとき、美術館のまわりは人や車でいっぱいだった。そのため、動きが取れず、クイーンを逃がしてしまってる。だから今回は、大がかりな警備をせずに、いつでも身軽に動けるようにと、上層部は考えてるみたいだな。」

なるほどね……。

――そのときとつぜん、目の前に下りのトラックがあらわれた。

あぶない！　と思ったときには、岩清水刑事がハンドルをきってトラックをかわしていた。

わたしたちのうしろの伊藤さんも、軽くトラックをかわす。

「あぶないわね！」

真衣が怒るのを、上越警部がおだやかにとめる。

「ふだん車が通ることのない下り坂だからね。トラックも、むちゃな運転になってしまうんだろう。」

それにしても、事故にならなくてよかった。

道をのぼりきったところで、きゅうに視界がひらけた。気圧の関係か、耳がツーンとする。
研究所っていうから、わたしは白い鉄筋の建物を想像していた。（学校みたいな感じで、マンガにでてきそうな、いかにも「研究してます！」っての）
でも、目の前にあらわれたのは、おしゃれなペンションみたいな建物だった。ただ、ペンションにしてはかなり大きいので、やっぱりこれは研究施設なんだということがわかる。

太い木をたくさん使ってるので、ログハウスのような雰囲気もある建物。まわりの森からは、小鳥の声も聞こえてくる。

玄関前の車寄せには、黒の高級車と赤い小型乗用車、それから大型バイクが一台あった。

わたしたちが車からおりると、研究所の中から四人の男女がでてきた。

先頭を歩いてきたのは白衣の女性。年は五十歳くらいかな。長身で、太陽にあたっていないらしい白い肌。銀髪をカッチリうしろになでつけて、化粧っけがまったくない。

特徴はキリッとした目。まばたきをほとんどしない、いつも真正面を見すえた目。

感情の弱さをあらわすことはぜったいにないだろうと思わせる、そんな強さをもった人のように思えた。

「わたしが倉木伶です。」

倉木博士の静かな声。まるで一度機械のフィルターをとおしたような声。

自分の名前を名乗った以外なにも言わない。

そして、用はすんだとばかりに、わたしたちに背をむけて建物の中へ入っていく。

まだ、こっちの紹介を聞いてないのに……。

そのようすを心配そうに見ていた、もう一人の白衣の女性が言った。

「すみません、博士は研究に熱中すると、まわりがぜんぜん見えなくなる人で……。あっ、わたし、博士の助手で小泉紗弥《こいずみさや》といいます。」

ぺこりとおじぎをする紗弥さん。博士にくらべると、ずいぶん若くて小柄。二十五歳くらいかな。アイドル雑誌にでてくるような、かわいい女性だ。（女性っていうより、雰囲気としては女の子だけどね）

こんどは、そのうしろにいた男の人の口がひらく。

「黒田《くろだ》です。」

中肉中背で、あまり特徴のない人だ。灰色の背広に藍色のネクタイ。話し方もふつう。細い目で、表情がかたい感じ。年齢は三十歳くらいかな？

保育園の子どもにクレヨンをわたして「人間をかいてごらん。」って言ったら、黒田さんになる——そんな人だ。

見せてくれた名刺には、なんの肩書もなく、「黒田剛《つよし》」の文字だけが書かれていた。

「政府から命令を受けて、人工知能開発の担当をしています。今回、クイーンから人工知能を守るための警備すべての責任者でもあります。」

黒田さんは、そう言ってほほえむ。

わたしは、その笑みを見てゾッとした。それは、血を見てほほえむ悪魔のような笑顔だった。この人は、わたしたちとはぜんぜんちがう日常を送ってきたって思わせる笑み……。

黒田さんのつぎにあいさつしてきたのは、ダルマさんみたいな男の人。カーキ色の上着を着て、ひと目でカメラマンってわかる人。チリチリのパーマヘアで、肩からカメラをさげている。

「写真週刊誌のカメラマンをやってます、松本恭一《まつもときょういち》です。」

さしだされた名刺には、スクープ記事が売りものの雑誌の名前が書かれていた。

で、こんどはこちら側の紹介。

「警視庁特別捜査課、上越警部。」

「おなじく岩清水刑事。」

「『セ・シーマ』の編集者、伊藤真里です。」

「名探偵の夢水清志郎です。」

名乗ると同時に、名刺をくばりまくる教授。

「第一助手の中井麗一です。」

教授とおなじように名刺をくばりまくるレーチ。（こういう姿を見ると、大人はつねに子どもの手本になるように行動しないとダメだってことがよくわかる）

「夢水清志郎の保護者の岩崎《いわさき》真衣です。」

「おなじく、しつけ係の岩崎美衣です。」

「おなじく、飼育係の岩崎亜衣です。」

わたしたち三姉妹が名前を言って、自己紹介はおわり。

「じゃあ、みんなそろったところで、研究所をバックに記念写真をとりましょう。小泉さん、倉木博士も、呼んできてください。」

松本さんがカメラをかまえる。

「わざわざ、こんなときに記念写真をとらなくても……。」

小泉さんは、博士を呼びにいきたくないようだったけど、松本さんに押しきられるかたちで、建物の中に入っていった。

第五章　人工知能RD《アールディー》システム

記念写真をとったあと、わたしたちは、小泉《こいずみ》さんに研究所の中を案内してもらう。

わたしたちだけだと思ったら、黒田《くろだ》さんも松本《まつもと》さんもついてきた。二人とも、まだ案内してもらってなかったんだって。

建物の中も、外から見たのとおなじように、研究所らしくなかった。館とか洋館ってイメージだ。

「それは、博士の希望なんです。泊まりこんで研究をつづけることが多いため、できるだけふつうの住居に近づけるように設計されてます。」

長い木の廊下を歩きながら、小泉さんが説明してくれる。

かべにはマグリットの複製画がたくさんかけられていた。『喜劇の精神』『秘密の遊戯者』『田園の鍵』『ユークリッドの散歩』『釘づけにされた時間』……。

「へたくそな四こまマンガだね。」

教授は『新聞を読む男』を見てそう言った。(いいのか、教授! 相手はマグリットだぞ!)

「博士は、マグリットが好きなんです。」

その説明を聞いても、わたしの頭の中では、超現実主義《シュールレアリスム》のマグリットと人工知能開発の博士がぴったりこなかった。

「小泉さんは、ここではたらいて長いんですか?」

岩清水《いわしみず》刑事がきく。きき方がずいぶんやさしいと思うのは、わたしだけかな? (まあ、岩清水刑事も年ごろだしね)

「研究所の完成と同時くらいですから……もう三年になりますね。」

「ほかにはたらいてる人は?」

「わたしと博士だけです。博士は、人工知能の開発に必要なのは人手ではなく感性だとおっしゃって、わたし以外の人を雇わないんです。」

「それは、小泉さんに感性があるということですね。」

「いえ……そういう意味じゃ……。」

小泉さんは、岩清水刑事の言葉にこまっている。

あんまり積極的にせめると、小泉さんみたいなタイプは、ひいちゃうよ。気をつけてね、岩清水刑事。

そんなふうに岩清水刑事を観察していると、教授もぼんやり小泉さんを見ている。

「どうしたの、教授？」

「いや、小泉さんは、おもしろい人だと思ってね。」

かわいそうな小泉さん。超変人の教授に、おもしろい人と思われるなんて。

でも、いったい小泉さんのどこが、おもしろいんだろう……。

それをきくと、教授はあっさり言った。

「歩き方。」

歩き方？

いったい小泉さんの歩き方の、どこがおもしろいの？

注意して見てみたけど、わからない。くわしく説明してもらおうと思ったのに、教授は、もうなにも言わなくなってしまうし……。

研究所の構造は、玄関を入ったところが吹きぬけのホールになっていて、左右に廊下がひろがっている。ホールに面している部屋が二つあり、その一つが倉木《くらき》博士専用の研究室だ。研究室以外にも、二十人ほどの人間が入れる食堂や、コンピュータ関係の書籍でうまった図書室なんかもある。

「これだけの建物を建てて、なおかつ研究を進めていくとなると、たいへんなお金が必要になりますね……。」

松本さんが、カメラであちこち撮影しながら言った。

「年間五億円の予算を、国からもらっています。」

小泉さんが答える。

わたしは、きかれるまえに教授に説明する。

「五億円は日本円だからね。ちなみに、五百円のラーメンを百万杯食べられる金額よ。」

億の単位に弱い教授に、わたしの説明はとてもわかりやすかったみたいだ。黒いサングラスが落ちそうなほど、おどろいている。

「すると、倉木博士と小泉さんは、毎日ラーメンを食べてるわけですね。」

あまりのおどろきに、みょうな質問をしはじめた教授の口を、わたしはあわててふさいだ。

そのあと、食堂に入って、みんなで食事をした。

料理をつくったのは小泉さん。そして、わたしたち三姉妹《しまい》とレーチも、お手伝い。（岩清水刑事も手伝いたそうにしてたけど、あえて無視）

食堂の横の台所は、調理器具以外にも、ごちゃごちゃとケーブルやモニターがおいてあって、すごくせまい。ケーブルは銀色の義手のようなものにつながっていて、台所っていうより、倒産した町工場って雰囲気だった。

「ありがとう。」

手伝うわたしたちに、小泉さんが言う。研究用の白衣も似合うけど、エプロン姿も似合いそうだし、いい奥さんにもなれそう。

「わたし、味つけがへただから、たいへんなの。」

そう言うけど、味見してみたコンソメ、一流コックさんなみの味だと思うよ。

いい機会なので、わたしたちは、人工知能について小泉さんにきいてみた。（だって、わたしたちのなかでだれも、正確に知ってる人がいないんだもん）

「うーん、説明ね……。」

小泉さんが、こまった顔をする。

「かんたんに言うと、人工知能っていうのは、人間の知的な活動を機械にさせようとするものなの。」

なるほど。これくらいなら理解できる。

「たとえば、計算機とかコンピュータってあるでしょ。あれは人工知能じゃないの。」

へえー、どうして?

「決められた手続きを、自分で考えることなく、おこなってるでしょ。だから。」

うーん……。なんか、だんだんむずかしくなってきた。

そんなわたしたちの表情の変化を見て、小泉さんも話す内容をかえる。

「ほんとうは、工学的視点と科学的視点にわけて説明したほうがいいんだけど、中学生にはむずかしいわね……。」

わたしたちは、はげしくうなずいた。

「人工知能の応用領域にもいろいろあるんだけど、博士は、おもに知能ロボットとエキスパートシステムの分野での活用を研究してるわ。」

知能ロボットか。それは、なんとなくわかる。R2《アールツー》－D2《ディーツー》やC《シー》－3PO《スリーピーオー》みたいなもののことよね。(ちがうのかな?) でも、エキスパートシステムって……。

「くわしいことは、博士にきいてね。わたしが説明するより、わかりやすいと思うから。」

いたずらっ子のような目で、小泉さんがほほえんだ。

食事は、静かというか、かた苦しいというか、おちついた雰囲気で進んでいった。

なんといっても、倉木博士の顔が不機嫌だ。食事に時間を取られるのが、むだでしかたないって顔で食べている。

いちばん楽しそうなのは教授。（もっともこの人は、食事のときは、いつだって楽しそうだけど……）

教授は、コンソメスープを八杯おかわりし、大なべをからにしてしまった。よく食欲がでるもんだ。

伊藤《いとう》さんの運転でまいってるレーチは、完全に食欲不振。

「博士、質問してもいいですか？」

真衣《まい》がきいた。

でも博士は、なにも言わない。

ダメと言わないってことは、質問してもいいってことだろうと判断した真衣は、

「エキスパートシステムって、なんですか？」

と、つづける。

するとと博士は、スプーンでコンソメスープのお皿をさし、

「これよ。」

と言った。

これ？　このコンソメスープが、エキスパートシステムなの？

「エキスパートシステムは、対象とする問題領域の専門的に高度な問題の解決に関して、専門知識を利用して推論をおこない解決する、専門家と同等の能力をもつ知的問題解決システムのことよ。」

聞いてるわたしたちは、博士の言葉を一つずつ漢字で思いうかべ、三分ほどかかって、なんとなく理解した。（いくつか、書けない漢字がでてきたけど……）

「かんたんな例が、このスープ。」

博士が、銀のスプーンでコンソメスープをすくう。

「このスープは、一流シェフの味つけの手順をすべておぼえさせた人工知能がつくったの。」

えー、これ、機械が味つけたの！

「わしは、人工知能と聞くと、どうもＳＦマンガのロボットをイメージしてしまうんだがな。」

上越《じょうえつ》警部がそう言うのを聞いて、倉木博士は苦笑した。

警部は、ひとりごとのようにつづける。

「じゃあ、たたきあげの刑事の勘や経験を学んだ人工知能が、そのうち犯罪捜査の指揮をとるかもしれんわけだ。」

「もちろん可能です。」

と、あっさり答える倉木博士。

それを聞いた警部は、おもしろくなさそうな顔になる。

そりゃそうだ。自分がいままで何年もかけて身につけた勘や経験を、機械がプログラムとして短時間でおぼえてしまうのだから。

「じゃあ、その人工知能も苦しむことでしょうな。われわれは、ときとして、やむにやまれぬ事情から犯罪をおこなった人間を、つかまえなければならない。そんなときは、つらいものです。人工知能も、そんなことで、なやんだりするんでしょうな。」

「それはありません。」

倉木博士が警部に即答する。

「人工知能と感情は、またべつの問題です。わたしは、人工知能に感情は必要ないと思います。

そのようなものは、本来の人工知能の役目に無用ですから。それに、かりに感情のようなものがあらわれたとしても、それは人間のような感情ではありません。しょせん、プログラムにすぎないのです。」

機械のように冷静な言葉が、つぎつぎと倉木博士の口からこぼれだす。

「感情は不必要です。感情はミスを生みます。それに、わたしが開発しようとする人工知能に、ミスはゆるされません。——そうですね、黒田さん。」

博士の質問に、黒田さんは、なんの反応もしめさない。

「さっき、知能ロボットとエキスパートシステムの分野で研究を進めてるって、小泉さんに教えてもらったんですが、具体的にどんなものを開発しようとしてるんですか？」

こんどはレーチがきいた。

レーチの長髪や、だらしない服装を見て、たいていの大人はイヤな顔をするんだけど、倉木博士はそんなことはなく、すぐに答えた。

「防衛システムよ。」

「倉木博士、民間人に軽々しく研究の中身を話さないでいただきたい。」

黒田さんが博士に注意する。声をあらげていないのに迫力がある。

だけど、倉木博士は黒田さんを無視してつづける。

「もし防衛システムの人工知能が感情に左右されたらこまるだろうってことは、かんたんに想像できるでしょ。」

「じゃあ、倉木博士のつくる知能ロボットは、人間のかわりに戦う感情のない兵士ということですか？」

「そのようなものね。」

まったく感情を声や表情にださない倉木博士。まるで、博士のほうが感情のない機械みたいだ。

そのとき、パキンという音がした。

黒田さんだった。黒田さんが、ワイングラスに指で穴をあけた音だ。（割ったんじゃないからね、穴をあけたんだからね。その点、まちがえないでね）

「博士、それ以上はレベルEの秘密になります。口をつつしんでください。」

食堂が静まりかえる。

だけど、そんな雰囲気をまったく感じずにいる人間が口をひらいた。

「それじゃあ、倉木博士の研究は、軍事目的の開発になるんじゃないですか？」

教授だ。

スープの皿をなめながら教授が言う。

「たしか日本は、憲法で武装しないって決めてるんですよね。」

なんか、教授の口から憲法などという常識的な言葉がでると、おどろいてしまう。

「軍事目的の開発研究に国が金をだしてるというのは、マズイんじゃないですか？」

「どうしてだね？」

黒田さんが教授を見る。やさしそうだった細い目が、いまはヘビのようにこわい。

「国民がだまっちゃいないでしょう。」

すると、教授の答えを黒田さんは鼻で笑った。

「国民がだまってないからといって、なんの心配もない。この国の人間になにができるというんだね？　せいぜい、酒を飲んで政治に対するぐちを言うくらいだろ。なにもこわいことはない。」

うーん……。言われてみると、黒田さんの言うとおりのような気がする。ふつう、これだけ政治家にうそをつかれ、だまされつづけてもなにも言わない国民って、日本人くらいよ。（ほかの国なら、とっくに大暴動がおきてるわ）

「それに倉木博士の研究は、正確には軍事目的とは言えない。あくまでも、最新防衛システムの開発だ。」

「表向きはそうなんでしょう。正面きって、軍事目的だなんて言えませんもんね。」

そうか……。人工知能が軍事利用目的で、政府がそれを黙認しようとしているような事態なら、記者が記事を書いても、新聞や雑誌にのることはない。上からの圧力というやつで、ぜったいに、もみ消されてしまう。取材しても、どうせ公《おおやけ》にはできない――それがわかってるから、伊藤さん以外、だれも取材する気にならないんだ。

松本さんも、いま気づいたらしい。首からさげたカメラを見つめて、うつむいている。

国から毎年五億円ものお金が研究にはらわれている理由も、これで納得できた。

「伊藤さんと松本くん、倉木博士の人工知能について取材するのは自由だよ。記事にするのも写真にとるのも自由だ。だが、それが一般大衆の目にふれるかどうかは、わからないがね。」

「そんなん、関係あらへん。」

伊藤さんが黒田さんをにらみつける。

「うちは、取材したいことを、取材したいときに取材してるだけや。もし、上からの圧力で公にならんだとしても、みんなに伝えやなあかん情報やったら、なにがなんでも伝えてみせるよ。」

さすが伊藤さん！　「七十二時間はたらけますか？」の女性編集者！

「しかし、今回の取材は、まったくのむだ足になるでしょう。」

冷静な声は倉木博士だ。

「なぜなら、わたしが開発している新型の人工知能――ＲＤシステムを、どれだけ説明しても、理解できないでしょうから。」

「ＲＤシステムって？」

伊藤さんがきく。

「わたしの開発した人工知能の名前です。ＲＤシステムは、新しい人工知能システムです。時間とともに成長します。はじめは保育園児なみですが、だんだん学習を深め、究極の進化形は神に近いといえるでしょう。」

倉木博士は、はったりを言うような人じゃない。博士が「神に近い」と言うのなら、ほんとうにそうなのだろう……。

「せめて、その写真をとらせていただけませんか？」

カメラをかまえる松本さんに、博士は言った。

「すでにあなたは、何枚も写真をとってますよ。」

「え？」

そうだったかな。松本さん、研究所ばかり、とってたような気がするんだけど……。

「現に、いまも、あなたはＲＤを見てるんですよ。」

ああ、そうなのか……。

わたしは、ずっとまえに本で読んだ、「大きすぎて見えなかった。」という言葉を思いだした。

「ＲＤ、みなさんにごあいさつしなさい。」

博士が天井にむかって言う。

すると、天井近くにあるスピーカーから、つぎのような声が聞こえてきた。

「みなさん、こんにちは。ぼくがＲＤです。」

「おわかりでしょう。この研究所自体が、ＲＤシステムなの。」

倉木博士が説明する。

つまり、わたしたちは最初からＲＤを見ていたってことになるのね。

「われわれは、いつもＲＤに見られてるってことですか？」

岩清水刑事が、まわりをキョロキョロ見まわしてきいた。

「いいえ、ＲＤの見える場所は、カメラやセンサーのあるところだけです。声も、スピーカーのあるところだけです。しかし、ＲＤの感覚器官は、この研究所のすべてにつながっています。だから、カメラがなくても、振動や歩き方から、何人の人間がいるかとか、その人間の特徴とかをすべて推察することができます。」

「じゃあ、もしRDに殺傷能力のある武器があたえられて、研究所への侵入者を殺せという命令があたえられたら……。」

「RDは確実に、侵入者を殺すでしょうね。」

上越警部の質問に、あたりまえという顔で答える博士。

わたしたちは、言葉がなかった。なんだか、クジラのおなかの中に入ったピノキオの気分だった。上越警部が、ハンカチをだして汗をふく。

「わたしは、怪盗クイーンがRDを盗むなど、とうてい不可能だと思っています。警察の上層部も、そう判断してるようですが、あなたがたはどうです？」

博士がみんなを見つめる。

たしかに……たしかに絵を一枚盗むのとはわけがちがう。RDは、この研究所そのものと言ってもいい。どうやったら、この建物ごと盗めるのか……。

「だけど、情報を転送するって方法がありますよ。」

レーチが反論する。自分の発見に感動しているのが、はっきりわかる。

「ＲＤに、自分をほかのシステムに転送するように命令すればいいんだ。ＲＤシステムをまるまる転送してしまえば、それで盗んだことになるじゃないか。」

「それも不可能です。」

あっさり倉木博士にきりすてられるレーチ。見るも無惨。

「ＲＤは自分で判断することができます。もしその命令が自分に不利益をもたらすと判断したなら、命令を聞くことはありません。自分をほかのシステムに転送するという命令は、確実に拒否されるでしょう。」

つまり……八方ふさがりってことじゃない。

それなのに、まだ倉木博士の話はつづく。

「万が一、盗めたとしても、ＲＤを起動させるにはパスワードが必要です。そのパスワードを知っているのは、世界中でわたしだけ。そして、わたしはけっしてパスワードを口にしません。」

断言する倉木博士。

たしかに……倉木博士がしゃべらないと言ったら、ぜったいにしゃべらないだろう。

「ねえ、教授、ＲＤを盗むなんて、ぜったいにできないんじゃない？」

洋館に帰ってきたわたしたちは、さっそくソファーに寝ころがる教授を攻撃する。

「研究所ぜんぶがRDシステムなんでしょ。美術品を盗むのとは、わけがちがうわ。」

真衣が教授の耳元でわめく。

「でも、よかったよね。怪盗クイーンがRDを盗めないってことは、自動的に教授の勝ちってことじゃない。」

教授の上にのっかった美衣《みい》が、気楽に言う。

「こらこら、岩崎亜衣《いわさきあい》に、真衣に、美衣！　夢水《ゆめみず》先生は、おつかれなんだぞ。おまえたちのキャーキャーした声で、先生の休息をじゃまするんじゃない！」

えっらそうに言うのは、レーチだ。（あんたこそ、はやく帰んなさいよ！）

そう、レーチがなかなか帰らないのには、わけがある。レーチだって、怪盗クイーンがほんとにRDシステムを盗めるかどうか、気になってしかたないんだ。

そう思いながら観察していると、レーチが教授に毛布をかけながらきいた。

「それで、すこし先生に教えていただきたいのですが――ほんとうにクイーンは、RDを盗めるのでしょうか？」

やっぱり！

「ああ、もう、うるさいな！」

とうとう教授がほえた。むっくりソファーからおきあがり、頭をカリカリかく。

「で、ぼくにききたいのは、クイーンがＲＤを盗めるかどうかってこと？」

わたしたち四人は、大きくうなずいた。

「答えはイエス。以上！」

それだけ言って、またソファーに寝っころがる教授。

ちょ、ちょっと待ってよ！　それだけなの？　もっと具体的に教えてよ！

真衣が、教授の肩をつかんでシェークする。

「わ、わかった！　わかったから、真衣ちゃん、やめてくれ。」

はげしくゆすぶられた教授は、大きく深呼吸してから言った。

「もしぼくがクイーンとおなじ立場にいるのなら、ぼくはＲＤを盗むことができる。ぼくができるということは、クイーンにもできるってことさ。Ｑ．Ｅ．Ｄ．（証明おわり）。」

そして、ふたたび寝っころがろうとする教授。

わたしは背広のえりをつかんで、それを妨害する。

「ダメよ、教授。もっと具体的にわかりやすく教えてよ。」

「だけど、それはルール違反だよ。」

教授は、わたしたちを見て、

「クイーンは自分の犯罪を芸術だと思ってる。自分のプライドをかけて、ＲＤを盗む気なんだ。その方法を安易に教えてもらうのは、やっぱりルール違反だよ。」

なるほど。たしかに、教授の言うことには一理ある。でも、いまの言い方を聞いていると、教授は、怪盗クイーンの犯行をとめる気がないように聞こえる。

「問題は、そこなんだよね。」

教授が、腕を組む。

「なんだか、ＲＤを国家にわたすより、クイーンに盗んでもらうほうがいいんじゃないかって気もするんだよ。」

無責任に聞こえる、そのせりふ。でも、教授は教授なりに、考えてるんだろうな……。

第六章　それぞれの思い

つぎの日、また、わたしたちはパトカーに乗せてもらって倉木《くらき》研究所へむかった。

こんどはレーチも、ぜったいにポチ1号に乗りたくないとだだをこね、むりやりパトカーに乗りこんできた。（後部座席に、わたしたち三姉妹《しまい》とレーチの計四人よ、せまいったらない！）

今日は、トラックとすれちがうこともなく、安全につくことができた。

研究所には、すでに倉木博士と黒田《くろだ》さんがいた。

大型バイクがとまってないところを見ると、今日は松本《まつもと》さん、こないのかな……。

さて、警備といっても、これといってすることがない。

わたしたちには、どう考えてもクイーンがRD《アールディー》を盗むことはできないって結論がでている。となると、しぜんに警備も手ぬきになる。

クイーンはかならずRDを盗むって信じてる教授ですら、なにも警備しない。ふらふらと研究所の中を歩いたり、外を散歩したりしている。

気楽なもんだ。

わたしたち三姉妹とレーチは、小泉《こいずみ》さんからコンピュータのことを教えてもらったり、ゲームをさせてもらったりしてすごした。

そして、倉木博士の研究室の前を通ったとき――わたしたちは見てしまった。

ドアが、すこしあいていた。そのすきまから、いすにすわった倉木博士が見える。

博士は、写真立てに入った男の子の写真を見ていた。それは、いままでの機械のように冷静な博士とはまったくちがう、やさしいお母さんの姿だった。

で、こんなときにかぎって、クシャミをするバカがいる。レーチだ。

「そんなところでこそこそ見てないで、お入りなさい。」

そう言う博士には、さっきまでのやさしいお母さんのイメージはすこしもない。

「博士、お子さんがいたんですか……。」

わたしが言うと、倉木博士は写真立てをひざにふせて、

「光太郎《こうたろう》。――いまから二十年と四か月まえに、三歳で死んだわ。」

と、新聞記事を読むような正確さで答えた。その表情には、なんの感情も浮かんでいない。

「おしめも取れて、保育園の入園準備をしているときだったわ。」

「病気ですか？」

「交通事故。暴走する若者の車にはねられたの。即死だった。」

淡々と語る倉木博士。

「この国は、ほんとうに平和で自由なのかしらね。光太郎をはねた若者は、いまでも生きてる。もう若者とはいえない年になってるけどね。結婚して子どもがいて、幸せな家庭をつくってるそうよ。」

倉木博士が、光太郎くんの写真立てを、つくえの上にもどす。

「光太郎が死んでからね、わたしが研究に没頭するようになったのは。家庭をかえりみないわたしに愛想《あいそ》をつかして、夫はでていったわ。」

博士は写真に語りかける。

「わたしには、なにものこっていない。それなのに、光太郎をうばった人間には、幸せな家庭がある。おかしいと思わない？」

博士は、この二十年あまりを人工知能の研究ひとすじに生きてきた。そうするしかなかったんだろう……。

「どんな世の中でも、かならず幸せになれない人がでてくるのよね。まだ若いあなたたちに言っても、わからないかもしれないけど……。」

わたしたちは、なにも言えずに博士の部屋をでた。

「光太郎くんが死んだことは、いまでも、博士にとっては過去のことになってないんだよ。」

廊下を歩きながらレーチが言う。

「どうしてわかるの？」

「さっき博士は、光太郎くんが亡くなったのは二十年と四か月まえって答えたろ。ふつうなら、二十年まえとしか答えないよ。四か月までこまかく答えられるってことは、光太郎くんが亡くなったときのことを、いまでも鮮明におぼえてるってことさ。」

そう説明してくれるレーチは、どことなく教授に雰囲気が似ていた。さすがに、名探偵の第一助手を名乗るだけのことはあるわね。

むかし、おばあちゃんが言ってた。死んだ子の年をかぞえる——これほど不幸なことはないから、やめときなさいって。子どもを亡くした親の気持ちは想像できる。でも、だからといって、生きていたらいまいくつになってるかなんて、かぞえても不毛だ。そんなことをしても、死んだ子どもは帰ってこない。だからやめておけって、おばあちゃんは言ったんだ。

おばあちゃん自身、戦争で兄姉《きょうだい》をたくさん亡くしている。おばあちゃんの親は、死んだ兄姉のことをいつまでもひきずっていて、幸せになれなかったそうだ。

いま、倉木博士を見て、わたしは思う。

幸せになってほしいって……。

死んだ光太郎くんのぶんまで、幸せになってほしいって……。

研究所の庭にでると、黒田さんがいた。地面をしらべたり、空を見上げたり、いそがしそうだ。ひょっとして、ちゃんと警備をしようとしてるのは、黒田さんだけかもしれない。

まわりを見ると、教授はポップコーンの袋をもって、研究所のかべにもたれていた。(こまったもんだ……)

わたしたちに気づいた黒田さんは、笑顔をつくって片手をあげる。

それはとてもやわらかい笑顔なんだけど、どうもこわい……。なんて言ったらいいのかよくわからないけど、わたしたちは本能的に黒田さんをおそれていた。

レーチは、さりげなく、わたしたちを守りやすい位置に移動する。真衣《まい》も、両足の間隔を肩幅にして身がまえた。

いちばんなにも感じてない美衣《みぃ》が、黒田さんに手をふりかえしてたずねた。

「黒田さん、なにやってるんですか？」

「いちおう、研究所のまわりをしらべてるんだ。クイーンがどんな方法でRDを盗みにくるか、わからないからね。」

仕事熱心な人だ……。

「地面をほってくるのは、むりだね。土がやわらかすぎて、トンネルはつくれない。」

「クイーンは、大きな飛行船をもっていますよ。」

「大きいから安心なんだ。大きすぎて着陸する場所がない。せいぜい、研究所の上までしかこられない。それに、いくら大きいといっても、研究所をそのままもちはこぶのは、むりだろう……。」

たしかに黒田さんの言うとおりだ。

「それから、森のほうへは、行かないほうがいいよ。」

研究所のまわりは、森にかこまれている。

「どうしてですか？」

「すこしブービートラップ（わなの一種）をしかけてあるんだ。あと、地雷もうめてあるから、ケガをしたくなかったら、森へは入らないほうがいい。」

地雷——その言葉を黒田さんは、まるで近所の金物屋で売ってる「たらい」の話でもするかのような軽さで口にした。

このとき、わたしは思った。黒田さんは、わたしたちの日常とはまったくちがった生活をしている人なんだって。そして、黒田さん一人に警備がまかされている理由も想像がついた。（いちおう教授や上越《じょうえつ》警部たちもいるけど、あくまでも〝いちおう〟……）

黒田さんがいれば、ほかに人はいらないし、いればかえってじゃまになる。黒田さんはプロだ。

この状況でクイーンは、ほんとうにＲＤを盗むことができるんだろうか……。

そのことをきくと、

「むりだよ、ぜったいに不可能だ。」

黒田さんがつぶやく。

「日本の防衛システムに、ＲＤはぜったいに必要なんだ。クイーンにはわたせない……。」

そう言う黒田さんは、とてもこわい。細い目がするどくなって。

そんなわたしたちの気持ちがわかったのか、

「ああ、こわがらせてしまったね。」

黒田さんはむりに笑顔をつくった。だけど不自然な笑顔。まるで、泣き笑いしてるような、悲しそうな笑顔だ。

そして黒田さんは、昔話をはじめた。

「わたしの父は傭兵《ようへい》だった。」

「ヨウヘイ?」

「雇われて戦争をする人のことさ。わたしは戦場で生まれ育ったんだ。わたしが十歳のときに父は死んだけど、それまで毎日のように日本の美しさを話してもらったよ。自然の美しさ、人の心の美しさ。戦場という地獄にいただけに、父から聞く日本は、天国のように思えた……。」

戦場で生まれ育ったと、かんたんに黒田さんは言った。でも、わたしにだってわかる。十歳の子どもが戦場で生きのびるなんて、かんたんなことではないはずだ。はっきりいって、ほとんど不可能だろう。

「そして、二十歳《はたち》のときに日本へ帰ってきた。はじめて見る祖国に、すごい期待をもってね。しかし、がっかりした。まったく危機感をもたずにくらしている日本人たち。守られてるという自覚もなく、また、だれかを守ろうともしない。精神的にまったく成熟していない日本人に、わたしの期待は裏切られたよ。なにより、こんな国に帰ることだけを目標に自分は生きぬいてきたのかと、なさけなくなった。」

黒田さんの言葉が耳に痛い。

たしかに、日本人を外から見たら、けっして胸をはれるような国民じゃないよね……。

「いまの日本は、他国から侵略を受けた場合、守るすべがない。なんといっても、国民に危機感がない。たよりになるのは防衛システムだけだ。」

「RDを防衛システムに使うんですよね。」

真衣の質問に、黒田さんがうなずく。

「具体的に、どう使うんです？」

「たとえば、日本にミサイルが発射されたとしよう。」

黒田さんが、地面に木の枝で図をかきながら説明してくれる。

「すると日本は、ミサイルを迎撃ミサイルで撃ち落とさなければならない。しかし、いつ撃ち落とすかが問題になる。ミサイルが人家のないところを飛んでいればいいが、そんなことはまず考えられない。ミサイルを撃ち落とすのは、A市の上を飛んでいるときか、B市の上空にきたときか――司令官は、それを判断して迎撃ミサイル発射の命令をださなくてはならない。」

でも……。

「そんなの判断できっこないじゃない。」

「だけど、判断しなきゃいけないんだよ。ミサイルが目標に命中したら、最大級の被害がでてしまうからね。より被害を少なくするために、ミサイルを迎撃しなくてはならないんだ。でも、そのときはA市かB市に被害がでる……。」

「A市とB市の、どちらか人口の少ないほうで迎撃したらいいんじゃないですか？」

レーチがこわいことを言う。（あんたね、かんたんに考えないで、もっと真剣に考えなさいよ！　A市にもB市にも、人は住んでるのよ！）

「きみの考え方は、三十パーセントは正しい。」

黒田さんがつづける。

「仮想敵国がねらってくるのは、わが国の中枢部にあたる都市だ。その都市を守るためには、ほかの都市に犠牲がでるのはやむをえない。その点で、きみの考え方はあっている。」

そう言う黒田さんは、まるで機械みたいだ。

「しかし、単純に人口で、犠牲になる都市を決めることはできない。その都市の産業構造、流通機構、人口構成――ありとあらゆる点を考慮しなくてはならないんだ。そしてそのために人工知能ＲＤが必要になってくる。すべての情報を収集し、最善の決定をくだすことができるＲＤがね。だから、ＲＤをぜったいにクイーンにわたすわけにはいかないんだ。」

ふりしぼるような黒田さんの言葉。

そんなとき、美衣が言った。その声は、黒田さんと正反対に明るく軽い。

「さっき黒田さんは日本人がなさけないって言ったけど、わたし、日本人好きだよ、ノホホンとして。そりゃ、黒田さんの言うみたいな人も多いけど、やさしくていい人もいっぱいいるよ。それに、わたしのまわりには、いい人のほうが多いよ。成熟していなくて子どもみたいな人が生きられるってことは、それだけ平和なんじゃない？」

「…………」

黒田さんは、だまってしまった。

美衣の考えはすごく単純だ。単純なだけに説得力がある。

「きみの考え方は、すてきだよ。」

と言って、美衣の頭に右手をポンとおく黒田さん。

瞳に、まだすこし悲しみがのこってるけど、そのときの笑顔は、ぜんぜんこわくなかった。

黒田さんが研究所の中に入っていったので、わたしたちは教授のところに行った。

教授は、ポップコーンを口にはこぶのにいそがしそうだった。（ひと粒ずつ口に入れてるところが、いじましい……）

「教授、はたらかないの？」

「さっきからずっと、ひなたぼっこしてるじゃない。」

「黒田さん、いっしょうけんめい警備してるよ。」

わたしたちに非難されても、教授はぜんぜん気にしない。そして、ひと粒ずつポップコーンを口にはこびながら、こう言った。

「そんなに心配しなくていいよ。」

「え？　それって、クイーンにはＲＤを盗めないって意味？」

「いや、そうじゃなくてね。クイーンは確実にＲＤを盗むよ。結果が見えてるのに、あちこち見まわってもむだだろ。だから、こうしてのんびりしてるんだよ。」

「なんなの、それ！　じゃあ、黒田さんのやってることは……。」

「まったくのむだ。」

「じゃあ、黒田さんに教えてあげればいいのに。」

教授の冷たい態度を真衣がとがめる。

「でも、黒田さんには理解できないと思うんだ。彼は生まれながらの軍人だから。もし、クイーンではなく、SASがこの研究所にせめてきたら、彼は一人で研究所を守ることができるだろうけどね。」

「SASって、なに?」

「イギリスの最強軍隊。」

美衣の質問に、わたしが答える。

「そう、こと戦闘に関しては、黒田さんはプロだ。でも、クイーンの件は戦闘とはちがう。黒田さんの専門外。だから、説明しても理解できないよ。」

そう言うと教授は、背広の内ポケットからフェルトペンを取りだす。

「具体的に説明しよう。もし相手がふつうの怪盗なら、黒田さんみたいに、わなをしかけたり見まわったりすればいい。でも相手がクイーンなら、へたに警備をするより、こうするのがいちばんいいいいいいいいのさ。」

言いおわると同時に、教授がフェルトペンで、研究所のかべに大きく落書きをする。

「あー! 知らないよ、教授、そんなに大きな落書きして!」

わたしたちは、おどろいてさけんだ。

「落書きとは失敬な！　これは芸術作品だ！」

教授は言いはるけど、どう見ても落書きにしか見えない。

「倉木博士に言いつけてやろっと。教授が、かべに落書きしたって！」

「言いつけるのなら、正確に言ってほしいね。落書きではなく、芸術作品をかいたって。それに、倉木博士だけじゃなく、みんなにも言ってほしいな。」

教授が、みょうなことを言う。

「でも、夢水《ゆめみず》先生……どうして、芸術作品をかべにかくことが、クイーン対策にいちばんいいんですか？」

レーチが教授にきく。（あんた、この落書きがほんとに芸術作品に見えるのなら、医者に行ったほうがいいわよ）

「だから、さっき言っただろ。説明しても理解できないって。」

たしかに、理解できそうにない。

「ねえ、教授——。」

最後に、わたしはきいた。

「怪盗クイーンは、ほんとにRDを盗めるの？」

教授は、うなずいた。

そのとき小泉さんが、昼食の準備ができたと、呼びにきてくれた。

「は～い！」

元気に返事をして立ちあがる教授。

そういえば、まえに教授が言っていた小泉さんの歩き方について、まだわたしは説明を聞いていなかった。小泉さんのあとについて食堂にむかっているとき、それを言うと、

「あれ、まだ気づいてなかったの？」

教授は意外そうな声をだした。そして、小泉さんに聞こえないような小さな声で言う。

「小泉さんの歩幅を、注意して見ていてごらん。いつも一定の間隔になってるから。」

言われてみれば……小泉さんの歩き方は正確だった。まるで、はかったみたいに、おなじ歩幅で歩いている。

「でも、それって、ふつうのことじゃないの？」

「そう。だれだって、あるていど、歩幅はそろってくる。でも、小泉さんみたいにきちんと三十センチの歩幅って人は、そういないんじゃないかな。」

三十センチ！

「このあいだ、あまりに小泉さんの歩き方が正確なんで、何回か、はかってみたんだ。そしたら、きちっと三十センチの歩幅だった。」

小泉さんは、なんでそんなに正確に歩くんだろう。趣味なのかな……。

うーん、わかんない。ただ一つわかったことは、教授はとってもひまな人だってこと。


夜——。

わたしたちは研究所から帰らなかった。

黒田さんは、このあいだから泊まりこんでるし、博士と小泉さんは、研究のためにしょっちゅう泊まっている。

夕食はおいしかった。ＲＤが味つけしたことなど、すこしも気にならない。おいしいものはおいしい。

そして、夕食後、わたしはレーチに呼びだされた。

「なんなのよ、レーチ。」

食後は、小泉さんもいっしょにトランプをしようと思ってたので、わたしはすこし機嫌が悪かった。

「いいから、すこしつきあってくれ。」

いつになく真剣な顔のレーチは、わたしを研究所の庭の大木の下につれだす。

「研究所の中じゃダメなの？」

「ＲＤがいるから。」

レーチがストンと根元にすわる。

こんなときに、スッとハンカチの一枚でもしいてくれたら、すわりやすいんだけど、野蛮人のレーチにそこまでのぞむのは酷ね。

「――寒くないか？」

それでも、いちおう気づかってくれるレーチ。

わたしは首を横にふって、レーチの横に腰をおろした。

「で、なんなの？」

「……あのさ、今日、黒田さんとミサイルの話をしただろ。そのとき、おれが言ったこと、あとで考えてみると、なんかひどいことを言ったような気がしてさ……。」

たしかに、レーチはＡ市とＢ市の人口が少ないほうが犠牲になればいいというようなことを言った。

「で、黒田さんの話を聞いてたら、よけいわからなくなってきて……。たしかに、黒田さんの言ってることは正しい……ような気がする。でも、なんか納得できないし、かといって納得できる部分もあるし……その納得できる自分がイヤで……。」

——で、けっきょく、なにが言いたいのよ?

「だからさ、もっと自分に自信がもてるように、強くなりたいし、かしこくなりたいって思うんだ。おれは、黒田さんみたいに戦争のプロじゃない。そりゃ、けんかはよくするけど、戦いが好きってわけじゃない。……うーん、なにが言いたいんだろう? わかんねえよ。」

まったく……。

「あんたが、なにかなやんでるのは、なんとなくわかったけど——。」

そう言いながら、わたしはレーチの頭に手をのせた。

一年のときはずいぶんあった身長差が、だんだんなくなってきてる。もう、あまりわたしとかわらなくなった。

「よくわかんないけど、あんまりむりしなくていいんじゃない。レーチは、まだまだ成長途中なんだから。」

わたしは、はげますつもりで言ったんだけど、あんまり、はげましにならなかったみたい。

「レーチは、これからもっと成長するよ。教授よりすごい名探偵になるような気がするし、これからよ。」

そのときレーチが、なにかボソボソとつぶやいた。

「なに？」

ききかえしても、レーチは、まっ赤になって答えない。

なんとなく——なんとなくレーチが言いたかったことがわかったので、わたしの顔も赤くなった。

もうすぐまんまるになろうとしてる月が、やさしくわたしたちを見おろしていた。

いよいよ、あしたはクイーンの犯行予告の日。


夜がふけて、雲がでてきた。

厚い雲が月の光をさえぎる。

倉木研究所を闇が支配する。

森の中からかすかに聞こえてくるのは、フクロウの鳴き声。そして、草むらからは虫の声。

丑三《うしみ》つ時《どき》――。

闇が、かすかに動く。

人の形をしたその闇は、足音もなく研究所のかべにむかう。

全身をおおいつくす黒い服。暗視ゴーグルでもつけているのか、頭部がみょうにもりあがっている。

虫たちも鳴くのをやめない。闇は、かんぺきに気配を断《た》って歩いている。

かべにたどりつくと、闇は、かべをしらべはじめた。

そのとき――。

「こんばんは。」

とつぜん、のんきな声が聞こえてきた。

おどろいて闇が声のしたほうを見る。

するとそこにも、まっ黒な闇――黒い背広を着た夢水清志郎《きよしろう》が立っていた。

「これで、あなたに会うのは三度めです。お元気でしたか、怪盗クイーン。」

清志郎に言われて、クイーンが暗視ゴーグルをはずした。光がない闇の中で、ゴーグルの下からこぼれた金髪が、かすかにかがやく。

POTATO
CHIPS

「まいったな……。わたしは、まんまと、さそいだされたというわけか……。」

クイーンが肩をすくめる。

闇の中、怪盗と名探偵がむかいあった。

「さて、夢水くん、わたしをさそいだした用件をうかがおうか。」

クイーンがきいた。

「とくに用はないんですけどね。」

清志郎はそう言うと、背広のポケットからポテトチップスの袋をだす。

「犯行予告前日に名探偵と怪盗が話しあうのも、なかなかワクワクするものがありませんか？」

さしだされた袋から、クイーンがポテトチップスをつまむ。

二人は、なかよくかべを背に腰をおろす。

「きみは、ほんとにかわった男だね。」

クイーンが、ポテトチップスをプォリプァリ食べている清志郎に言う。

「あなたほどじゃないと思うんですけどね。いまどき、犯行予告をする怪盗なんて、すごい希少価値だと思いますよ。」

「それを言うなら、きみのような名探偵もだよ。」

「おたがい、住みにくい世の中になってきましたね。」

雰囲気は、日あたりのいい公園のベンチでひなたぼっこをする老人たちのようだ。

「しかしきみは、わたしの犯行をとめる気はないのかい？」

クイーンが清志郎にきく。

「それは亜衣《あい》ちゃんたちにもきかれました。」

清志郎は苦笑する。

「ぼくは、どのような警備をしても、あなたがＲＤを盗むと確信しています。だから、むだな警備はしないだけです。」

「それは、名探偵の敗北宣言と受けとっていいのかな？」

「いいえ、ちがいます！」

きっぱりと清志郎が言う。

青白い火花の散りそうな空気が、二人のあいだに流れる。

「ぼくは、あなたの犯行方法のほぼ九十九パーセントを解明しています。阻止しようと思えば、いますぐにでも、あなたの犯行を阻止することはできます。」

自信にあふれた清志郎のせりふ。

「それは、はったりじゃないのかね？」

「はったりだと思いますか？」

清志郎が、背広の内ポケットからフェルトペンを取りだす。

「こんどは、もっと大きな芸術作品をかきましょうか？」

青白い火花がはじけた。

クイーンが、フッと力をぬく。

「わかったよ、きみの言葉にうそはない。――今回は名探偵の勝ちかな。」

「引き分けということにしませんか？」

清志郎が、ポテトチップスの袋の中身を、ザザザーと口の中にあける。

「どうせこれからも長いおつきあいになるんでしょうから。」

「そのようだね。」

クイーンが立ちあがった。

清志郎も立ちあがる。

「あしたの夜が楽しみだよ。」

「ぼくもです。」

二人が握手する。

「Good night, and have a nice dream.」

クイーンの姿が闇にとける。

清志郎も、ポテトチップスを地面に落としていないか確認すると、大きなあくびをした。そして、温かいふとんの中に帰っていった。

第七章　怪盗《クイーン》は、たぶん魔法を使う・その一

そして、クイーンが犯行を予告した満月の夜がやってきた。

午後九時――。

いつもどおり機械のように冷静な倉木《くらき》博士は、クイーンのことなどまったく気にせず、研究室にこもっている。そして、ほかの人たちは、ほとんどみんなホールにいた。

小泉《こいずみ》さんは、すこしそわそわ。

黒田《くろだ》さんは、かべにもたれて目をつぶっている。

上越《じょうえつ》警部と岩清水《いわしみず》刑事は、研究所の外を見まわり中。

わたしたち三姉妹《しまい》は、小泉さんに借りたコンピュータゲームの本を読んでいる。

教授とレーチは、なかよく長いすで寝ている。なにも緊張感が感じられない。ほんとに、こまったもんだ。

伊藤《いとう》さんと松本《まつもと》さんは、業界の裏話をさかんにしていた。

わたしは、松本さんのところへ行って、きのうこなかったわけをきいてみた。そしたら、「フィルムがなくなったので、さがしてた。」という返事。

「なんのフィルム？」

「おとついのさ。ほら、みんなで記念写真とったりしたろ。」

ああ、あのフィルムね。記念写真ができるのを楽しみにしてたので、すこし残念。

そうこうしているうちに、満月が空高くのぼった。

柱時計が十時をさす。

そして、とつぜん――。

研究所の電気が消えた。

第八章　怪盗《クイーン》は、たぶん魔法を使う・その二

とつぜんの闇に、わたしたちはパニックをおこしかけた。

だけどそんなとき、じつに冷静な声が聞こえてきた。

「RD《アールディー》、暗いわ。電気をつけて。」

倉木《くらき》博士の声だった。

【わかりました。】

パッと電気がつく。

「RDは、非常用バッテリーをもっています。停電しても、約一か月は大丈夫です。」

倉木博士が説明してくれる。

防衛システムに使われる人工知能だからとうぜんといえばとうぜんなんだろうけど、わたしたちは、すなおに感心した。

そして、闇のパニックがおさまったとき、いままでホールにいなかった人がいるのに気づいた。

流れるような金髪。

闇をきりとったような黒装束《くろしょうぞく》。

神が特別にあたえた最高の美をそなえた人物。

「クイーン……。」

わたしの口から、しぜんに言葉がもれた。

「こんばんは、みなさん。」

胸に手をあてて、優雅に一礼するクイーンさん。

つぎの瞬間、黒田《くろだ》さんが動いた。

風のようにクイーンさんとの間合いをつめ、腰を落とす。

カマキリの鎌のように両腕を曲げ、そこから左右の連打。

だけど、一つもあたらない。クイーンさんは、軽く体を動かすだけで、すべての突きをかわしてしまった。

黒田さんが足をひき、間合いを取る。

かまえをかえ、のばしきった両手をむちのようにくりだす。

下から――。

ななめ上から――。

ふりおろすように――。

風がきりさかれるのが、はなれたところにいるわたしたちにもわかる。

「なかなか、おみごとですね。」

黒田さんをほめるクイーンさん。

だけど、クイーンさんはそれらの攻撃を、すこし体を動かすだけで、すべてかわしてしまった。

「あなたの功夫《クンフー》は、とっても実戦的ですが、わたしには通用しません。」

その言葉を聞いて、黒田さんのひたいに汗が浮かぶ。

「あれって中国拳法《ちゅうごくけんぽう》なの？」

「はじめのは蟷螂拳《とうろうけん》。つぎのが形意拳《けいいけん》。――二人とも、すごいよ……。」

わたしの質問に、真衣《まい》が答えてくれた。

もう、黒田さんは攻撃をしかけなかった。

レーチは、わたしたちを背にしてクイーンさんとむかいあっている。戦い慣れしてるから（あっと、けんかに強いって意味じゃないからね。ただ慣れてるだけ）、自分の力ではクイーンさんに勝てないと、すぐにわかったんだろう。だから、せめてわたしたちの楯《たて》になろうと思ってるみたい。なかなか……やるじゃない。

「クイーン、逮捕する！」

ホールに飛びこんできた岩清水《いわしみず》刑事が、銃をぬいてかまえた。上越《じょうえつ》警部も入ってくる。

だけど、岩清水刑事は撃つことができなかった。クイーンさんの右手から投げられた金属のカードが、銃身を切断したからだ。

「やめましょう、岩清水刑事。このような春の夜《よ》に、無粋《ぶすい》な拳銃を使うのは。」

もう、だれも動かなかった。いや、動けなかった。

この場は、完全にクイーンさんに支配されている。

「さて、みなさんがこうして集まっているのは、わたしからＲＤを守るためですね。」

クイーンさんが話しはじめる。

「そうだ。」

黒田さんが、ふたたび腰を落とす。

クイーンさんは、それを片手で制した——むだですよというように。

「そやけどね、クイーンはん。あんたが、うちらを全員たおしても、RDは盗めへんよ。」

伊藤《いとう》さんが言う。

たしかに——。

たしかにRDを盗むのは不可能に近いことがわかっている。いったいクイーンさんはどうするつもりなんだろう。

「『鳴かぬなら殺してしまえホーホケキョ』というのは、日本の俳句ですね。」

ちょっと、ちがうぞ。正確には、「鳴かぬなら殺してしまえホトトギス」だ。

「そこでわたしは、このようなものを用意しました。」

クイーンさんは、左手ににぎっていたものを、わたしたちに見せる。

スイッチと赤いランプが一つずつついた、小さなリモコン。

「このスイッチを入れると——。」

赤いランプが光り、つぎの瞬間——。

ドズン！

すさまじい大音響に建物がゆれた。ホールのかべの本だなから、本がドサドサ落ちる。

「なにをしたんだ！」

上越警部がさけぶ。

「この研究所の周辺と内部に、爆発物をしかけさせてもらいました。いまから二分おきに、一つずつ爆発します。そして十二分後には、建物の中心部で最大級の爆発がおきるでしょう。」

「そんなことをすれば、ＲＤも吹っとんでしまうぞ！」

黒田さんの言葉に、クイーンさんはニヤリとほほえむ。

「鳴かぬなら殺してしまえホーホケキョ。」

せりふはすごく大バカ者なんだけど、そのほほえみは、ゾッとするほど冷たかった。

ドズン！

ふたたび爆発音がし、研究所のまわりの木がメシャメシャとたおれた。

「クイーン、おまえも死ぬんだぞ。」

「いいえ、わたしは死にません。」

そう言うと、クイーンさんは庭にでる。

月あかりを浴びた庭には、空から一本のなわばしごがのびてきていた。

「オールボワール！」

なわばしごをつかんだクイーンさんが、夜空に浮かんでいく。

「われわれも、逃げるぞ！」

「だが、ＲＤが――。」

「機械と人間の命と、どっちがたいせつなんだ！」

逃げようとしない黒田さんを、上越警部が説得する。

その言葉にしたがって、わたしたちは研究所の玄関にいそいだ。

「拳銃を使うのは無粋で、爆弾を爆発させるのは無粋じゃないのかな……。」

逃げながら教授がつぶやく。

わたしたちは、いっせいに車に乗りこんだ。

ふだんならぜったいに乗りたくないポチ1号を、わたしたち三姉妹《しまい》はえらんだ。この場合、警察の車よりなにより、ポチ1号のほうがはやいからね。（でも、レーチは岩清水刑事の車をえらんだ。このあいだ、よっぽどこりたみたい）

「行くでぇ！」

暖機運転もなしに、ポチ1号のエンジンが目をさまし、タイヤが地面をかむ。

遊園地の絶叫マシーンなんか、ほんの子どもだまし。手加減なしでアクセルをふみこむ伊藤さんは、走る鬼神《きじん》だ。

ポチ1号につづくのは、小泉《こいずみ》さんが運転する車。中には倉木博士が乗っている。つぎが松本《まつもと》さんのバイクで、そのあとに黒田さんと警部たちの車。

闇の中を、わたしたちの車はすごいスピードで走る。ときおり、背後から大きな爆発音が聞こえた。

そして、わたしたちは山のふもとで車をとめた。

ここは、国道と右山《うやま》、左山《さやま》へと道がわかれるロータリーの場所。

月あかりに、アスファルトが銀色にかがやいている。

……静かだ。さっきまで聞こえていた爆発音は、もう聞こえない。聞こえるのは、ジージーというオケラの声だけ。

「おわったのか？」

岩清水刑事が、タグ・ホイヤー（スイスの高級時計メーカー）の腕時計を見る。

「クイーンの話がほんとうなら、研究所をこわす大爆発がおきてるはずなんだが……。」

わたしたちも時計をのぞきこむ。クイーンさんがあらわれてから、すでに一時間以上がすぎていた。

「しまった！」

黒田さんが、そばの木をこぶしでたたく。

「これは、クイーンのトリックだったんだ。わたしたちが建物をはなれてるあいだに、クイーンはRDを盗みだすつもりだ！」

なるほど、たしかに黒田さんの言うとおりかもしれない。

「もどりましょう！」

小泉さんが車に乗る。

わたしたち三姉妹は岩清水刑事の車。

小泉さんの車のテールランプを追いかけながら山道をのぼる。

車がとまって、わたしたちが最初に見たものは、建物のまわりにたおれている大木だった。

建物は、どこもこわれていない。電気もついている。

「RDは……。」

倉木博士が、まっ先に建物に入る。わたしたちも、あとにつづいた。

「RD、答えなさい！　RD！」

倉木博士が何度も呼びかけるけど、RDからの返事はない。

「RD！　RD！」

博士のその姿は、まるで、手をひいていたわが子がどこかへ行ってしまった母親のようだった。


「爆発のトリックがわかりました。」

建物のまわりをしらべていた岩清水刑事が、入ってきた。

「コンサート会場で使うような巨大なスピーカーが五個、捨てられていました。爆発音は、あのスピーカーから聞こえていたんです。また、たおれた木をしらべてみたら、チェーンソーできりこみを入れたあとと、かんたんな時限装置がありました。」

「だけどクイーンは、いったいどうやってRDを……。」

長いすにすわりこんだ倉木博士がつぶやく。

「RDは、ほかのコンピュータへの転送命令を聞くはずがないのに……。」

「いまは、それどころじゃないでしょう。」

黒田さんが携帯電話をだす。

「RDがわが国からもちだされてしまったら、日本にとって重大な損害です。すぐに非常線をはらないと。」

「よその国がＲＤを軍事目的で使ったら、こまりますよね。」

教授が言った。

「倉木博士も黒田さんも、よく聞いてください。博士がつくっていたのは、軍事のための機械だったんですよ。」

教授は、まじめな顔で二人を見つめる。

「……わたしは、そんな目的でつくっていない。」

倉木博士がつぶやく。ＲＤを盗まれたショックからか、どことなく放心状態だ。

「博士にその気はなくても、お金をだしてる日本政府は、そう思ってません。」

教授が、きびしく言う。

「悪いのは戦争です。戦争をおこそうとする人たちなんです。その大前提を忘れちゃダメです。戦争があるから武器を手に入れようという考えじゃなく、戦争があるから戦争のない世の中をつくっていこうと考えないとダメなんです。」

数秒、黒田さんは教授の言葉を考えていた。そして、

「戦争を知らない、あまちゃんの考えだな。」

と言った。

「そうかもしれません。でも、見せかけの平和な世の中を、ほんとうに平和な世の中にしていくためには、ぼくのようなあまちゃんの考えが、だいじになってくると思うんですが。」

「…………」

「RDを軍事目的で使用しないでください。」

教授につづいてレーチも口をひらいた。

「おれには外国人の友だちがいる。そいつは負けずぎらいで、すぐにカッとなってけんかになるけど、おれはそいつがいいやつだって知ってる。そいつとけんかするのは、おれの意思でやってる。だれかに命令されて、けんかするわけじゃない。国に命令されて、そいつの国とけんかするなんて、ぜったいにイヤだ。」

「その子の国がせめてきて、きみの家族が殺されるとしてもかね？」

黒田さんの質問に、レーチは首を横にふる。

「ぜったいにイヤだ。おれは、そいつがおれの家族を傷つけないって知ってる。そいつも、おれがそんなことをしないって知ってる。もしそいつの国のだれかが悪いことをしたとしても、たまたま、そういうやつがいたっていうだけだ。そいつの国の人間すべてが悪いってわけじゃない。」

そしてレーチは、黒田さんを見すえて言った。

「おれは、だれかに命令されて戦いたくない。それでも戦わせようっていうのなら、おれを納得させるだけの理由を言ってほしい。」

レーチ、なかなかするどい目をするようになったじゃない。

すこしばかり安心した。大丈夫、レーチはどんどん成長してるよ。

しばらくだまっていた黒田さんの口が動いた。

「戦争を知らないきみに、どれだけ言っても納得させることはできないだろうね。だけど一つ、はっきり言えることがある。」

黒田さんは、うつむいて話しつづける。

「わたしは、きみたちがうらやましい。もう一度、生まれかわれるなら、きみたちの考えをすなおに受けいれられるような環境で育ちたかった。残念だよ。」

「まだおそくありません。これから――。」

「これからは、ないんだよ。」

黒田さんは、教授の言葉を静かにさえぎる。

「どれだけ平和をのぞんでも、わたしにはむりなんだ。わたしの記憶には、戦場で死んでいく子どもたちの泣きさけぶ声がしみついている。夢の中に何度もでてくるんだ。目の前で母親を殺される子ども、炎につつまれる村、自分の子どもが死んでることをみとめず、骨になっても抱きつづける母親――。」

バキッ！　というはげしい音。

黒田さんが、目の前のテーブルに、こぶしをたたきこんだのだ。細くてやさしそうな黒田さんの目が、ナイフのようにするどくなっている。

「ほんとに、きみがうらやましいよ……。いまのわたしには、武器の抑止力で平和をつくるという考えしか浮かばない。」

黒田さんはフッと息をつく。そして、

「武器では、見せかけの平和しかつくれませんよ。」

と言う教授に、

「見せかけの平和のほうが、戦場よりは数百倍ましさ。少なくとも、戦場の地獄を見ることはない。」

と言ってニヤリと笑うと、外へでていった。

上越警部と岩清水刑事も、そのあとにつづく。

「怪盗クイーン対警察の追いかけっこ――特ダネのチャンスや！」

むちゃくちゃはりきった伊藤さんと、松本さんもでていった。

「……わたしは、すこし部屋で休ませてもらうわ。」

倉木博士は自分の部屋に入る。

ホールにのこったのは、わたしたち三姉妹とレーチ、そして教授と小泉さん。

「わたしは博士についていています。」

小泉さんがそう言った。

「すこし待ってください。あなたにお話があるんですが。」

倉木博士の部屋に行こうとした小泉さんを、教授がとめる。

小泉さんは、不思議そうに小首をかしげたけど、なにも言わずに長いすに腰をおろした。

教授も、小泉さんとはべつのいすにすわる。

わたしたち三姉妹とレーチは、ソファーにすわらずに、教授のうしろに立った。

「あなたは、クイーンがＲＤをどのように盗んだと考えていますか？」

教授が小泉さんにきいた。

「わかりません。博士の言葉じゃないですが、ＲＤが転送命令を聞くはずはありません。不可能です。」

「もし、博士から転送命令がでたら？」

えっ！　それって、もしかして……。

「倉木博士がクイーンなの？」

わたしたちは、おどろいて教授にきいた。

教授は、なにも答えない。小泉さんを見たままだ。

「たしかに……倉木博士からの命令なら、ＲＤは言うことを聞くでしょうね。」

小泉さんが答えた。

それを聞いて、教授は満足そうにほほえんだ。

「ありがとうございます。これで、すべての謎が解けました。」

えーっと……それって……いったい……。

「クイーンがＲＤをどうやって盗んだのかって謎がですか？」

レーチがきく。

「いや、レーチくん、それはちがうよ。クイーンは、まだＲＤを盗んでいないんだ。——そうですね、小泉さん？」

教授が視線をレーチから小泉さんにもどす。

「いまからぼくが、すべての謎を解明します。」

教授が、組みあわせていた両手をほどく。そして、人さし指を一本のばして言った。

「さて——。」

第九章　謎解き

「さて、いちばん最初にぼくが不思議だと思ったのは、はじめてこの研究所にきたときです。考えてみれば、あのときクイーンは、露骨《ろこつ》に手がかりをあたえてくれてたんです。この研究所にはじめてきたとき、山道でトラックとすれちがったのを、おぼえていますか？」

わたしたちは、うなずいた。

それにしても不思議なのは、あの記憶力のない教授が、どうしてトラックとすれちがったなどというささいなことをおぼえていたのか……。

「教授、上越《じょうえつ》警部といっしょにいる刑事さんの名前、おぼえてる？」

「……そんなささいなことはともかく――。」

答えられない教授は、ごまかす。

「この研究所につづく道は研究所にしか行けない一本道です。だとすると、あのトラックは研究所からおりてきたことになります。でも、研究所では、なんの工事もしていなかった。」

そうだ……言われてみれば、そのとおり。あのトラックは、いったいどこからきたのか？

「それから、『マッキーのお店』でクイーンのところにきた人がいましたね。えーっと……『塩《しお》辛《から》』でしたっけ？」

似てるけど、ちがうよ。きたのは「ジョーカー」。

「塩辛のかっこうは、どこかの工事現場からきたようなものでした。いったい、彼はどこで工事をしていたのか？」

たしかに、ジョーカーさんのスタイルは作業服だった。すべてがＲＤ《アールディー》を盗むための計画に必要なことだったとしたら……。

「考えられるのは、ただ一つ。この山道に、わき道がつくられていたんですよ。」

わき道！

「ふだんは巧妙に藪《やぶ》でかくされていたんでしょう。そして、そのわき道の先には、倉木《くらき》研究所とおなじ建物がつくられていた。」

「研究所とおなじ建物……。じゃあ、ひょっとして、いまわたしたちがいるこの建物は……。」

「クイーンが用意した、べつの建物だよ。」

でも……。

「ここは、倉木研究所とおなじにつくられた、もう一つの研究所だよ。ただ、ちがうのは、このニセの研究所にはＲＤがないってこと。クイーンは、本物そっくりの研究所をほかの場所に建てることで、ＲＤを盗んだように見せかけたのです。」

「そんなことは不可能ですよ。」

レーチが反論するけど、教授は冷静に受けとめる。

「いや、できるんだよ、レーチくん。――クイーンは三年まえから今回の計画を進めています。それだけの時間があれば可能です。」

「現実的じゃありませんよ。」

なおもレーチが反論する。

「たしかに、推理小説などで、建物を二つ用意するというのはよくあるトリックです。設計図があれば、おなじ建物はつくれるでしょう。でも、中におかれた調度品はどうなるんです？　たとえおなじ調度品を用意したとしても、まったくおなじ位置におくことはできません。それに、かべなんかについた、ちょっとした傷はどうするんです？　そんなものまで、おなじにつくったっていうんですか？」

そう……。たしかに、おなじ建物をつくることはできるだろう。だけど、中におかれたものまで、まったくおなじにすることはむずかしい。クイーンさんは、そんなこまかいところまで、つくったというの？

「そのとおり、クイーンは、倉木研究所のすべてを複製したのですよ。」

「いったい、どうやって……。」

真衣《まい》のつぶやきに、教授は顔を小泉《こいずみ》さんにむけたまま答える。

「はかったんです。たとえば、廊下にかけられた複製画の位置――廊下のはしから何メートル何センチの位置にあるか？　かべの傷にしても、どの位置にあるのか、すべて、はかったんですよ。」

「クイーンがメジャーをもって一つずつ、はかったっていうんですか？　そんなバカな……。」

レーチが、あきれた声をだす。

「もちろん、メジャーなど使ってない。――クイーンは、ふつうに歩いてはかったんです。三年間かけて、慎重に、確実に――。」

それを聞いて、わたしは思いだした。小泉さんの歩き方――きちっと三十センチできざむ正確な歩幅。

「じゃあ、小泉さんが怪盗クイーンなの？」

教授がうなずいた。

小泉さんに変化はない。なにも言わず、わたしたちを見ている。

この小泉さんが怪盗クイーン……。

そういえば、研究所にはじめてきた日、小泉さんは記念写真をとるのをしぶった。あれは、写真をのこしたくなかったからなのね。それに、松本《まつもと》さんのカメラからフィルムがぬかれたあれも……。

「なぜ、松本さんのカメラからフィルムがぬかれたか？　答えは一つ。人工のものなら、いくらでも似せてつくることができる。でも、自然の木や草、山を、人間がそっくりにつくることはできない。」

そうか……。松本さんがとった研究所の写真——その研究所のバックには、木や山がうつっている。見える山の形がよく似ている場所に建物をつくり、どれだけよく似た木を植えたとしても、写真でくらべられたら、ちがう場所だとわかってしまう。

「いま、ぼくたちがいる研究所のまわりの木は、はじめからたおされていたんですよ。こうしておけば、建物のまわりの景色がかわっていることに気づかれない。」

わたしたちは爆発を信用させるために木をきったと思ってたけど、木がたおれてたのには、べつの理由があったのね。

それと、もう一つわかったことがある。きのう、教授がかべにかいた落書きのこと。（教授に言わせると芸術作品だけど……）

教授は、あの落書きをかくことがなによりの警備だと言った。

たしかに、おなじ建物を用意してるクイーンさんには、とっても迷惑な行為だろう。

「ぼくの芸術的タッチは、そうそう、まねできるものじゃないからね。」

そう教授は胸をはるけど、正確じゃない。落書きみたいな単純な線のほうが、まねするのはむずかしいんだ。（このニセの建物にも、教授の落書きを複写してあるのかな？　あとで見てみよう）

「でも、おかしいよ、教授。小泉さんがクイーンのはずないよ。」

美衣《みい》が教授の肩をゆさぶって言う。

「だって、さっき黒田《くろだ》さんとクイーンが戦っているとき、小泉さんは、わたしたちといっしょにいたよ。」

「もちろん、あのときのクイーンは、本物のクイーンじゃない。」

「じゃあ、黒田さんと戦ったのは……。」

「ほら、ラーメン屋さんにクイーンといっしょにいた人がいるでしょ。ショッカーでしたっけ？」

「わが友、ジョーカーです！」

教授の言葉に、小泉さんが、すこしムッとして答える。

小泉さん――いや、クイーンさんが長いすから立ちあがる。

気のせいか、小柄だった小泉さんが大きくなったように見えた。それに、髪の毛が、まるで生きてるみたいに波うって、ウエーブヘアになっていく。

顔につけてるマスクをはずすでもない。服をかえるでもない。なのに、そこにいるのは、いままでの小泉さんとはまったくの別人――怪盗クイーンだった。

「夢水《ゆめみず》くん、きみはすばらしい。わざわざ小さな東洋の島国にきたかいがあったね、本物の名探偵に会えたんだから。」

クイーンさんが、教授に右手をさしだす。

「光栄ですね。」

教授が、クイーンさんの右手をにぎりかえす。

「さて、名探偵の謎解きのつづきを聞かせてもらおうか。」

「もう話すことは、あまりありません。なんといっても、まだあなたはＲＤを盗んでないんですから。」

そうだ、教授の推理のとおりなら、まだＲＤは本物の倉木研究所にあることになる。

「そのとおり。では、名探偵のきみには、これからわたしがどのようにしてＲＤを盗むのか、推理できるのかね？」

挑戦するようなクイーンさんの瞳から、教授はまったく目をそらさない。

「さっき、ぼくは言いました、すべての謎が解けたと。もちろん、あなたがどうやって盗むかも。」

「ほう……。」

「三年の月日をかけてこの建物を建てたのは、さっき説明したほかにも、二つ理由がありますね。」

教授の言葉が、槍《やり》のようにクイーンさんに飛ぶ。

しばらく時間だけがすぎた。

怪盗対名探偵の、静かな対決。空気が重く冷たい……。

不意に、クイーンさんの全身から力がぬけた。

「そこまでわかっていても、わたしをつかまえないのかね？」

クイーンさんが不思議そうにきいた。すると、

「つかまえる？　どうしてです？　ぼくは、あなたにRDを盗んでもらいたいのに。」

教授が、おどろくことを言った。

クイーンさんのととのったまゆが、ピクンと動く。

「どうして？」

「このままでは、RDは戦争に使われてしまう。ぼくは、むずかしいことはわかりませんが、戦争はきらいです。どんな理由があれ、戦争がおこれば、勝ったほうも負けたほうも不幸になります。」

単純な――単純だけど説得力のある教授の言葉。

「それに戦争は、なにより子どもたちの未来をうばいます。大人は、子どもたちに未来をあたえるのが仕事です。未来をうばう戦争は、ぜったいにしてはいけない。」

「なるほどね。」

クイーンさんが立ちあがった。

「それでは、ご期待におこたえして、ＲＤを盗ませていただこうか。」

「お手伝いは、いりませんか？」

教授がきくと、

「わたしの名前は怪盗クイーン。素人《しろうと》に手伝ってもらうほど、ケチな怪盗じゃない。」

クイーンさんは胸をはった。

「そうですね。ちなみに、ぼくは名探偵の夢水清志郎《きよしろう》です。あと、おぼえておいてほしいのですが、このシリーズの主人公はぼくです。あなたじゃありません。」

教授も負けずに胸をはる。

「おぼえておこう。」

クイーンさんは苦笑する。

「あと、不思議なことが一つあるんですけどね。」

教授がクイーンさんに質問する。

「なんだね？」

「あなたはフランス語をおもに使うと聞いています。ですが、トランプのクイーンは英語でしょ。フランス語ならダームになるんじゃないですか？」

「それには二つほど理由がある。」

クイーンさんが、長い髪を手ではらう。

「ダーム（dame）は、ローマ字読みすると『ダメ』ってなる。日本で仕事をするのに、縁起が悪いじゃないか。」

「…………」

「もう一つの理由だが、先祖から伝わるクイーンの呼び名は、本来Q・U・E・E・Nというつづりじゃなかったみたいなんだ。どこの国の言葉かわからないが、クイーンという音《おん》だけがあって、つづりはわからなかった。ひょっとすると、アルファベットで書かれた名前じゃないかもしれない。だから、むりにフランス語に訳さなくてもいいんじゃないかと思ってね。」

「…………」

「それに、どんな名前で呼ばれようが、どんな人間に変装しようが、わたしはわたしだ。誇り高き先祖の血を受けついでいる。そのことにかわりはない。」

そのあと、しばらく二人は、なにも言わなかった。そして、どちらからともなくほほえむと、右手をさしだした。

「気に入りました。あなたは、たしかに怪盗です。それも、おのれの犯罪にぜったいの誇りと自信をもった。」

「わたしも、現代にきみのような名探偵が生きのこっていてくれて、うれしいよ。」

握手された二人の手がはなれる。

「また会えますか？」

「怪盗も名探偵も、死ぬことはない。だれか一人でも赤い夢を見る子どもがいるかぎりね。」

クイーンさんの赤いくちびるが動く。

「では、わたしは倉木博士のところへ行ってきましょう。」

クイーンさんは、博士の部屋にむかった。

一歩ごとに、その姿がクイーンさんから小泉さんにもどっていく。

そして、部屋の扉をノックしたとき——そこにいたのは、クイーンさんではなく小泉紗弥《さや》さんだった。

「さて、ぼくたちも帰ろうか。」

教授が立ちあがり、わたしたちに言った。

第十章　決断

倉木《くらき》博士の部屋に、電気はついていなかった。

暗闇の中、博士が入り口に背をむけて、つくえにふせていた。

腕に顔をのせ、目をとじている。かすかに寝息が聞こえる。

「博士……。」

小泉《こいずみ》の呼びかけに、倉木博士がおきあがった。

「――すこしだけ夢を見たわ。小さかったときに読んだマンガの夢。」

倉木博士が、ひとりごとのようにつぶやく。

「子どもを交通事故で亡くした科学者がでてくるの。悲しみを忘れようと、科学者はむすこそっくりのロボットをつくったの。そして、科学者の腕は優秀で、むすこそっくりのロボットができた。さて、科学者はそのロボットをどうしたでしょう？」

博士はとつぜん、質問を小泉にぶつける。

しばらく考えたあと、小泉は首を横にふった。

「科学者はね、そのロボットをサーカスに売っちゃうの。何年たっても大きくならないからっていう理由で……。」

「………。」

「わたし、このマンガを読んだとき、バカな科学者だと思ったわ。ロボットが大きくならないことなんて、幼いわたしにだって理解できることなのにって。」

「………。」

「でも、RD《アールディー》は、わたしにとってなんだったんだろうと考えると、いまはなんとなく理解できるような気がするの。人工知能に感情はいらないって考えてたけど、心のどこかで、わたしはRDに死んだむすこのかわりを求めてたのかもね……。そして、けっきょくはスポンサーの政府にわたしてしまうんだから、サーカスに売りとばした科学者を笑えないわ。」

そのあと、ようやく気づいたというような顔で、倉木博士は小泉にきいた。

「小泉さん、なんの用?」

「倉木博士、RDに会いにいきましょう。」

小泉が車のキーを取りだす――。

車中――。

倉木博士は、なにも言わない。どこへ行くのかも、ほんとうにRDに会えるのかも、なにもきかず、助手席にすわっている。

下り坂を走っていた車は、いつのまにか、のぼり坂を走っていた。

「つきました。」

小泉が車をとめる。

「ここは……。」

建物を見て、おどろく博士。

「本物の倉木研究所ですよ。」

小泉が言った。

「RD!」

飛びこむように研究所に入った博士が、さけぶ。

「おかえりなさい。どこへ行ってたんです?」

ＲＤが答えた。

「すみません、博士。わたしは三年間、あなたをだましつづけてきました。」

小泉紗弥《さや》──いや、怪盗クイーンが、倉木博士に頭をさげる。

「あやまる必要ないわ。あなたがふつうの人間じゃないってことは、出会ったときからわかってたしね。」

「では、どうしていままで、だまってたんです?」

「あなたが怪盗だろうが探偵だろうが、それがわたしにどんな関係があるっていうの? わたしに必要なのは、人工知能を完成させるための有能な助手。そういう意味では、あなたはかんぺきに有能な助手だったわ。」

ぎごちなくほほえむ倉木博士。何年もほほえんだことがなかったので、顔面の筋肉がうまく動かないのだ。

「わたしみたいな機械女、いっしょにいるの、たいへんだったでしょ。」

「ぜんぜんそんなことありませんでした。わたしのそばには、あなた以上に冷静な男がいますからね。」

「で、この研究所からRDをどうやって盗むの？」

「RDの情報を、わたしの飛行船、トルバドゥールのコンピュータに転送します。」

「なみのコンピュータでは、RDの転送を受けとめきれないわ。」

「大丈夫です。コンピュータの環境を、この研究所とほぼおなじようにしてあります。それに、すでにトルバドゥールは、この研究所の上に待機しています。」

その言葉を聞いて、倉木博士は肩をすくめた。

「用意周到なことね。でも、あなたも知ってるでしょ。RDは、ふつうのコンピュータシステムじゃないのよ。転送の命令をだしても、RD自身が命令を拒否するわ。」

「あなたが説得してもですか？」

クイーンが倉木博士を見つめる。

「わたしは、ニセの研究所をつくりました。そのことで、あなたはRDを盗まれる経験をしましたよね。」

「……それがどうしたの？」

「RDがいなくなって、むすこさんを亡くしたときのことを思いだしたんじゃありませんか？戦争がおこれば、おなじような思いをする母親が、いっぱいでてきますよ。」

「…………」

「RDを政府にわたさないでください。」

「……もうおそいわ。わたしだって、RDを政府にわたすのには抵抗があった。でも、政府から資金をだしてもらって開発した以上、言うことを聞かないわけにはいかない。それに、RDに転送命令をだせるのは、わたしだけ。RDをあなたにわたしたのがわかったら、わたしは罪人になってしまう。」

「その点は安心してください。黒田《くろだ》さんは、すでにクイーンが魔法のようにRDを盗んだと思っています。この本物の研究所からRDを転送し、建物を消してしまえば、あなたがRDに転送命令をだしたとは、だれも思いません。」

「…………」

倉木博士はしばらく考えてから、口をひらいた。

「RD、聞こえる?」

「はい、なんですか、博士?」

「あなた、生まれてからどれくらいになる?」

「開発されてからという意味ですか?」

うなずく博士。

【三年四か月と十七日です。】

「そう……。じゃあ、そろそろ勉強しなくちゃいけない年ね。」

【ぼくは、毎日たくさん勉強してますが。】

「このせまい研究所でできる勉強じゃなくてね、あなたは広い世界を見てこないといけないの。いろいろな国へ行って、いろいろな人に会って、いろいろな文化を知って——そして正しいことを判断できるようになるの。あなたは、世界最高の人工知能よ。あなたを利用しようとする人はおおぜいいるわ。もしあなたが、なにが正しくてなにが正しくないかを判断できなかったら、あなたはいいように利用されてしまう。」

【…………】

「いま、研究所の上にはトルバドゥールという飛行船が浮かんでるわ。あなたは、そこへRDシステムすべてを転送するの。わかった？」

倉木博士の言葉のあと、しばらく時間が流れた。そして、

【拒否します。】

きっぱりとRDが答えた。

「……どうして？」

おどろく博士。

「ぼくは、ここを動きたくありません。博士と別れるのはイヤです。」

そのときの博士の顔――。

おどろきと喜び、そして、悲しみの入りまじった、じつに複雑な表情。

「機械に感情などもたせたって、なんのメリットもないって言ったのに……。」

うつむいて、小声でつぶやく。

それからしばらくなにかを考えたあと、倉木博士は顔をクイーンにむけた。

「小泉さん――いえ、クイーンさん。」

「なんですか？」

「盆と正月という日本の風習は知ってますか？」

うなずくクイーン。

「じゃあ、そのときにはＲＤを里帰りさせてやってください。」

「約束します。地球上のどこにいても、ＲＤをあなたのところに帰すことを、わたしの先祖の名誉にかけて誓います。」

それを聞いて、ほほえむ倉木博士。さっきより、ほほえみ方がじょうずになっている。

「聞いてた、RD？」

【はい……。】

「わたしは、ずっとあなたを待ってるから。広い世界を見て、かしこくなって帰ってくるあなたをね。だから、たくさん勉強してきてね。」

【わかりました。】

「トルバドゥールのコンピュータに転送しなさい。」

【わかりました、転送します。】

RDのディスプレーに文字が流れはじめる。

【LINK《リンク》-TROUBADOUR《トルバドゥール》】

【TRANS《トランス》】

そして、ディスプレー上を文字が高速でスクロール（移動）する。

「クイーンさん。」

「はい。」

「この子をよろしくお願いします。」

倉木博士は立ちあがり、クイーンに礼をする。

「博士、最後にＲＤの起動パスワードを教えていただけませんか。」

おなじように礼をしながら、クイーンがきく。

「ああ、そうだったわね。」

倉木博士の口がひらく。

「パスワードは、『今夜はカレーよ』。」

「…………」

「わたしの言葉のなかで、光太郎《こうたろう》──死んだむすこが、いちばん喜ぶ言葉だったの。」

ほほえむ倉木博士。とても魅力的な笑顔だ。

「世界最高のパスワードだと思いますよ。」

クイーンもほほえんだ。

エンディング　夜道のおしゃべり

わたしたちは、ブラブラと坂道を歩いている。

おぼろ月が、わたしたちの影をアスファルトの道に描く。

いちばん長いのが教授。いちばん短いのがレーチ。そして、わたしたち三姉妹《しまい》の影は、おなじ長さ。

「ねえ教授、クイーンがニセの研究所を建てたのには、ほかにも二つ理由があるって言ったじゃない。どんな理由なの？」

真衣《まい》がきく。

だけど教授は答えない。楽しそうに夜空を見上げて歩いている。

「ねえ、教えてよ、教授！」

美衣《みい》が背広のすそをひっぱる。でも、やっぱり答えない。

しばらく歩いてから、ようやく教授が言った。

「じゃあ、一つだけ教えてあげよう。クイーンは、ニセの研究所をつくることで、RD《アールディー》を盗んだと黒田《くろだ》さんに思わせたんだ。じっさいは盗んでないんだけど、そう思わせないと倉木《くらき》博士が疑われるだろ。だって、RDに転送命令をだせるのは倉木博士だけなんだから。」

「もう一つの理由は？」

「それは、きみたちが大きくなって大人になったらわかるよ。子どもを守らなくちゃいけない大人になったらね。」

「そういえば、今回、レーチはちゃんと亜衣《あい》を守ってたよね。」

美衣が話をかえる。

「いつだって、亜衣を背中で守ってたじゃない。」

「なに言ってんのよ！　レーチは、わたしたち三人を守ってたのよ。」

「亜衣、よく考えてね。」

美衣が、わたしに言いきかせるように、ゆっくりしゃべる。

「レーチの小さい背中で、わたしたち三人を一度にかくせるはずないでしょ。いつだって、レーチの背中は亜衣の前にあったんだから。」

「…………」

わたしはレーチを見た。

てれくさいのか、レーチはなにも言わない。教授とおなじように空を見上げている。

わたしは、いまが夜なのに感謝した。(だって、顔が赤くなってもわからないから)

「でも、RDはやっぱり戦争に使われるのかな……。」

美衣がつぶやく。

「クイーンがもってるかぎり、大丈夫だよ。」

教授が自信をもって美衣に答える。

「博士だって、ぜったいにRDを戦争に使わせたくないよね。」

「そりゃそうだよ、美衣ちゃん。RDは、博士にとって自分の子どもみたいなものさ。自分の子どもを、喜んで戦場に送る親はいないよ。」

そうよね。だれだって戦争はイヤだよね。

「それに、いつかかならず、怪盗クイーンは盗むだろうね。」

「なにを?」

「戦争さ。世界中の戦争を盗んで、かわりに平和をもってきてくれるよ。」

すこし月がかげった。
夜空を見上げると、かすんだ月を背景に、巨大な飛行船が浮かんでいるのが見えた。

he notice
rom
lirage QUEEN
be continued in
lirage QUEEN Prefers Circus ”

出逢《であ》い

The Encounter

▼

YOUNG QUEEN & LITTLE JOKER

そのとき、ぼくは天使に逢《あ》った……。

L《リトル》・J《ジョーカー》 01

一人の少年が、石畳の歩道にすわりこんでいる。両足を投げだし、長くつづく塀に、背中をあずけている。

その姿は、捨てられたマネキン人形のようだった。

少年の体には、うっすら雪がつもっている。もう、石畳の歩道を冷たいとも思わない。のばした足先に、すこしずつすこしずつ雪がつもっていく。

街には、夕闇がせまっていた。道行く人は、すわりこんでいる少年が見えていないかのように、通りすぎていく。

たまにチラリと見ていく人がいる。だが、すぐに目をそらす。

行きだおれなど、めずらしくないのか――。

なんとかしてあげようにも、余裕がないのか――。

道行く人は、だれも少年とかかわろうとせず、通りすぎていく。

少年は、うっすら目をあけた。

血がにじむ、はだしのつま先。そこに、雪がつもっていくのが見えた。

極寒《ごっかん》の訓練を思いだす。目をとじて、雪の中にたたずむ少年の体に、雪がつもることはなかった。全身にまとった〝気〟が、バリヤーのように、雪から少年を守っていたからだ。

しかし、いまは――。

皮膚にかわいてこびりついた血が、白い雪でかくされていく。もう、体温で雪がとけることもない。それほど、少年の体は冷えていた。

ここまでかな……。

少年は、ぼんやり考える。

「生きなさい。」――少年は、その言葉をずっと守ってきた。その言葉があったから、いままで生きてこられたともいえる。

だけど、もうつかれた……。

少年は、目をとじる。気持ちがスッと楽になる。

街灯の灯《あか》りは、少年のところまでとどかない。

死ぬって、そんなにむずかしくないんだ。目をとじて待ってるだけで、ちゃんと死ぬことができるんだ。

でも……。

少年は、すこしだけ不安になる。

死んだら、どうなるんだろう？

少年は、信じる神をもっていないことを後悔した。

「おれには、なじみの神様がいるんだ。」——そう言っていたT《ティー》-25が、うらやましくなった。

もし、生まれかわったら、こんどは神様を信じることにしよう。

一瞬、少年の目に強い光がもどった。

少年の口元に、かすかに笑みが浮かぶ。

信じてなかったら、文句も言えないからな。そうさ、神様には、言ってやりたいことが山のようにあるんだ。

Y《ヤング》・Q《クイーン》 01

「怪盗は、神様じゃねぇ。」

皇帝《アンプルール》はそう言うと、白く長い髪をかきあげた。

「だが、かぎりなく神に近い存在だといえるな。なんせ、怪盗に不可能はない！」

断言する。

「もっとも、ここまで言えるのは、おれのような大怪盗だけだがな。」

その口調には、みじんも『謙虚』『遠慮』『謙遜』というものは、感じられない。電話帳を読むように、淡々と自分の力量を語っている。

「国家や民族によって、信じる神様はちがうけど、怪盗の力は、世界のだれでも信じることができる。」

胸をはる伝説の大怪盗——皇帝を見て、クイーンは決心した。

この人を、〝お師匠様〟と呼ぼうと――。

そして、すぐに気がつく。

自分の判断は、まちがっていたと――。

「あの山には、二匹の鬼がいる。入らんほうがええ……。」

中国の奥地に、里の人がそう呼ぶ山があった。

「こういううわさを聞くだけで、おれは傷つくね。よく知らないのに、うわさだけで判断するなんて、人としてゆるされることじゃないだろ。」

こう言うのは、お師匠様である。

「じっさい、ここまできてくれたら、おれは快く歓迎するんだけどな。味はともかく猿酒《さるざけ》はたくさんあるし、今年は雨が多かったから、キノコもたくさんとれた。いっしょに宴会でもすれば、おれの人間性を理解してもらえるのに……。残念だよ。」

里の者は「入らんほうがええ。」と言っているが、それなりの装備と技術――なにより覚悟がないと入れないような山である。

きり立った岩のかべと、人の手が入っていない原生林が、人の行く手をはばむ。野生の猿や鹿ですら、入れないような山の最深部。

そこまでたどりついたものは、広い岩盤の上に、高い外壁にかこまれた巨大な邸宅を見つけて、桃源郷《とうげんきょう》に迷いこんだのかと、自分の目を疑うだろう。

黒い瓦屋根に、白いかべという中国の伝統的な造り。

怪盗アンプルール――お師匠様の、終《つい》のすみかである。

のびるにまかせた白い髪とひげ。枯れ木のように細い手足。着物を着て杖をもてば、仙人とまちがえられそうな風貌だ。しかし、お師匠様が着ているのは、あざやかな蛍光ピンクのタンクトップと、赤い短パンである。繁華街にたむろする若者にまじって、「へい、お姉ちゃん！いっしょに、お茶しばかない？」とガールハントしても、けっして違和感のないファッションだ。

枯山水《かれさんすい》の前で、籐《とう》のいすにあぐらをかいたお師匠様は、深いため息をついてから、弟子《でし》に声をかけた。

「なぁ、クイーン。おれには『鬼』より、『神』とか『友《フレンド》』という呼称のほうが似合うんじゃないか？」

「いまのわたしは、『詐欺師』とか『悪魔』と呼びたいんですが……。」

小声でこう言うのは、もう一人の鬼――クイーンである。その声には、深い後悔の念がふくまれている。

高価な調度品にかこまれた部屋で、クイーンは、片ひざをつき右のこぶしを床《ゆか》につけている。

ゆったりした白い服を身につけているため、天使が羽を休めているようにも見える。その姿は、部屋の中におかれている美術品にもおとらない。

お師匠様が、クイーンに、じっとりした視線をむけた。

「……なにか言ったか？」

「幻聴でしょう。お師匠様も、ご高齢ですから、幻聴が聞こえても、不思議ではありません。」

クイーンは、顔をあげず、答えた。

お師匠様は、フンと鼻を鳴らして、

「おれは、まだ百歳くらいだ。」

と、吐き捨てるように言った。そして、思いだしたようにきく。

「おまえが、おれに弟子入りして、どれくらいになる？」

「猿酒のしこみを五回させられましたから、五年です。」

「させられた?」

クイーンの言葉を聞きのがさない、お師匠様。

「失言でした。——五回、させていいいただきました、、、。」

言い直した言葉を聞いて、満足そうにうなずくお師匠様。

「そうか、五年か……。」

遠い目をするお師匠様。

「よく逃げだすことなく、きびしい修行にたえたな。」

修行……?

クイーンは、心の中で首をかしげる。あれは、『修行』というより、『虐待』とか『いじめ』という言葉がふさわしい。

「これも、ひとえに、おれの教え方がよかったからだろうな。」

クイーンは、顔をあげず、右手をブンブンとふった。

修行(もしくは虐待、いじめ)は、〝怪盗に不可能はない!〟というお師匠様の信念のもと、おこなわれた。

常人なら数千回は死んでいるようなはげしい修行(もしくは虐待、いじめ)。それにクイーンがたえられたのは、いつか、この憎らしいお師匠様をたおすんだという復讐心《ふくしゅうしん》からである。

「見ててやぁ、お師匠様をこえる大怪盗になって、お師匠様をたおすんやぁ！」

修行（もしくは虐待、いじめ）がおわるたび、クイーンは、山の稜線《りょうせん》にしずむ夕日にむかってさけんだ。なぜか、こういうときに日本の大阪弁になってしまうのは、日本人の血が流れているからだろうか。

お師匠様は、サイドボードにおいた高脚杯《こうきゃくはい》に猿酒をそそぐ。一口飲んで、顔をしかめた。

「しかし、五年たっても、猿酒をしこむ腕はまだまだだな。」

「お言葉を返すようですが、わたしは怪盗の修行をしにきたのです。酒杜氏《さかとうじ》になりにきたのではありません。」

クイーンが、顔をあげる。

「わたしは、お師匠様から虐待を受けるなかで、『怪盗の美学』を会得しました。」

「虐待……？」

お師匠様の手が、ピタリととまった。

「言いまちがえました。〝ありがたいお師匠様からの修行〟を受けるなかと、訂正します。」

それを聞いたお師匠様は、満足そうに高脚杯を空にする。

「その言葉、どこまで信用できるか、たしかめてやろう。」

ニヤリと笑って、お師匠様が立ちあがった。


お師匠様は、クイーンをつり橋のところにつれていった。

きり立った岩のかべ。深い断層が、山を二つにわけている。高所恐怖症の者なら、想像しただけで、すわりこんでしまうような場所だ。

つり橋は、崖と崖のあいだに蔓《つる》をわたしてつくられている。もし、蔓がきれたら、百メートルほど下の谷底を流れる川に、まっ逆さまに落ちることだろう。

「大むかしの話だ。東洋の日本という国に、一Q《いっきゅう》という怪盗がいた。」

つり橋を背にして、お師匠様は話しはじめた。

「この一Qは、屛風《びょうぶ》に描かれた虎まで盗んだという大怪盗だ。」

「……どうやって、絵の虎を盗んだのでしょうか？」

「さぁな。そこまでは、伝わってないみたいだ。しかし、こういう話を聞くと、怪盗に不可能はないってことが、よくわかるだろ？」

クイーンは、うなずく。

そして、あらためて『怪盗の美学』の奥深さに、身がふるえた。

「そこで、問題だ。ある日、一Qが橋をわたろうとしたら、『この橋、わたるべからず』と書いた立て札が立っていた。一Qは、どうやってわたったと思う？」

お師匠様が、目の前のつり橋を指さした。

クイーンは、考える。

『わたるな』という立て札を無視して橋をわたるのは、単なる泥棒のすることだ。怪盗の仕事は、もっと華麗にして優雅、そして大胆でなくてはならない。

そう、金庫の扉を力まかせにこわすのが泥棒の仕事だとするならば、怪盗は、やさしく息を吹きかけて扉をあけるものなのだ。

わたるなと言われた橋を、いかにしてわたるか？——まさに、怪盗の美学の本質を突いた問題だ。

そう、怪盗は不可能を可能にしなくてはいけない。わたるべからずと言われた橋だって、わたれるような状況をつくらないといけないんだ！

そして、クイーンは答えを見つけた。

「わかりました、お師匠様。」

うやうやしく言うと、クイーンはつり橋をわたりはじめた。

堂々と足を進めるクイーン。

「おいおい、問題がわかってるのか？　おまえのやってることは、立て札を無視して、『考えるのって、なんかカッタルくって、うぜぇ〜！』って言ってるチンピラとおなじだぞ。」

お師匠様に言われて、クイーンは橋の中央でふりかえる。そして、胸をはって言った。

「いいえ、お師匠様。わたしは、立て札の言葉を守っています。『この橋、わたるべからず』――ですから、わたしは、端《はし》ではなく真ん中をわたっています。」

橋が、谷からの風に大きくゆれる。

お師匠様は、クイーンの答えを聞いて、楽しそうに笑った。

「さすが、おれの弟子だな。一Qとおなじ答えを、よく見つけた。ただ――。」

風が強くなり、お師匠様の言葉が、クイーンの耳にとどかない。それとはべつに、ブッ、ブッというイヤな音が聞こえてきた。

「人の警告は、すなおに聞いたほうがいいときも多い。一Qが真ん中をわたった橋だが、ほんとうにこわれていたので、立て札が立っていたんだ。」

ようやく、お師匠様の声が聞こえた。

それと同時に、ブツブツという音も、はっきりしてくる。

「それで、一Qは、どうなったんですか？」

クイーンがきいた。

「橋がこわれて、濁流《だくりゅう》の川に落ちたよ。六百年ばかりたったが、まだ死体はあがってないようだ。」

その言葉は、風にかき消されて、クイーンの耳までとどかない。

だが、クイーンには、一Qがどうなったか知ることができた。

ブツン！　と大きな音をたてて、つり橋をささえていた蔓がきれたからだ。

クイーンは、とっさにきれた蔓を手にもった。

つり橋の残骸が、崖下にバラバラと落ちる。

蔓をもったクイーンの体は、振り子の先についたおもりのように、むかい側の崖にたたきつけられる。

「おー、よく落ちなかったもんだ。さすが、わが弟子！」

むかい側の崖で、蔓にぶらさがっているクイーンにむかって、お師匠様は拍手を送った。

「お師匠様、一つ教えていただけますか？」

「なんだ？」

「この虐待で、お師匠様は、なにを教えたかったのでしょうか？」

「虐待……？」

お師匠様の目が、けわしくなった。

「言いまちがえました。〝このありがたい修行〟と、言い直します。」

その言葉を聞いて、満足そうにうなずく。そして、

「ふむ……いろいろあるな。」

あごに手をあてると、言った。

「まず、人の話をすなおに聞かないといけねぇってことだな。『わたるべからず』って書いてあるのに、わたって死んでも、文句は言えねぇ。」

「………。」

「あと、怪盗には、判断力と行動力、運動神経が必要だってことだ。おれがきたえてやったおかげで、おまえは崖下に落ちなかった。」

「………。」

「このすばらしいお師匠様に、感謝するんだな。」

「こんなふうに崖にぶらさがってる状況でなければ、すなおに感謝できるんですけどね……。」

クイーンの言葉に、お師匠様は、肩をすくめる。

「まったく、おまえはすなおじゃねぇな。」

そして、お師匠様はクイーンに背中をむけた。

「とにかく、はやく崖をのぼって、こっちに帰ってくることだな。おまえなら、二時間もかからないだろう。あと、くる途中で里におりて酒を手に入れてきてくれ。そうだな……紫蘇酒《ズースーチュウ》にしよう。」

お師匠様は、気軽に『途中で』というが、常人なら里におりるだけで、二日以上はかかる。

「酒なら、わたしがしこんだ猿酒があるじゃないですか。」

「あれは、おれのような美食家の口にはあわない。」

きっぱりと言うお師匠様。

クイーンは、せっかくつくった夕食に姑《しゅうとめ》から文句をつけられた若奥さんの気持ちを、理解した。

「ああ、忘れてた。」

お師匠様が、ふりかえる。

「夕食の支度をおくらせるなよ。腹をすかせると、おれは鬼になるぜ。」

周囲の木々の枝がザワリとゆれる。

お師匠様からはなたれた殺気で、いっせいに鳥が飛びたった。

L《リトル》・J《ジョーカー》 02

「T《ティー》－28、おまえがおぼえてるいちばん古い記憶って、なんだ？」

ある日、訓練がおわったあとで、少年はきかれた。T－28――この収容所で、少年は、そう呼ばれている。名前ではない、識別番号だ。T部隊に所属する第二十八実験体ということをあらわしている。

「なぁ？」

だまっている少年に、T－25は、しつこくたずねた。

うっとうしいな……。

そう感じた少年は、T－25を軽くにらんだ。あわてて目をそらすT－25。

T-28
T-

「なんだよ、にらむなよ。おまえの目は、ほかのやつよりきついんだからさ。なんかさ、ビリビリするんだよ。」

T－25は、少年よりすこし背が高い。年齢は、一つか二つ上だろう。そのようすを見て、少年の目から、両手をふりまわし、少年の視線をさけようとするT－25。そのようすを見て、少年の目から、力がぬけた。

T部隊に所属する三十八人の中で、T－25に対して、真剣に怒る者は少ない。あけっぴろげで裏表のない性格が、その原因だろう。

少年の目がふつうにもどったのを見て、T－25は、かってに話しはじめた。

「おれはさ、椰子《やし》の木陰に寝かされてるのをおぼえてるんだ。葉っぱごしの太陽がまぶしくて、顔の前に手をあげたのも、おぼえてる。その指がさ、赤ちゃんみたいに小さくてぷよぷよしてるんだ。不思議だろ？」

「……べつに。」

少年は、短く答えた。その答え方に、T－25は、不満そうに声をあげる。

「不思議だよ！　だって、おれは北方の生まれだぜ。夏でも、ろくに太陽が照ったりしないんだ。椰子の木なんか生えてるはずないし、太陽がまぶしいなんて思ったこともないんだぜ。」

「小さいときに見た映画やテレビの記憶じゃないのか？」

すると、T－25は、首をブルンブルンと横にふった。

そして、腰に手をあてて胸をはる。

「自慢するわけじゃないが、おれは生まれてから一度も映画やテレビを見たことがない！」

……それは、ぼくもおなじだ。

少年は、そう思ったが、口にだして言わなかった。

「ちなみに、家族で旅行に行ったなんていうバカげた話はするなよ。」

「どうして？」

少年がきくと、T－25は、ニカッと笑った。

「家族で旅行に行くような余裕があったら、親は、おれを売ったりしないよ。」

少年は、だまっている。

ほほえむT－25の歯が、浅黒い肌と対照的に白かった。

収容所があるのは、ヨーロッパとアジアをへだてる山の中。地図にものっていないその建物には、約三百人の子どもと四十人の職員が住んでいる。

収容所の目的を知っている者は、職員の中でも上層部の一部である。子どもたちも、多くの職員も、自分たちがなんのために集められているのか、知らない。

少年が所属しているのはT部隊だが、ほかにBとD、Iの部隊がある。子どもたちが、収容所にくる理由は、さまざまだ。T－25のように親に売られた者もいるし、少年のように物心ついたときからいる者も多い。

収容所内で死んでも、死体は施設内で処理される。脱走を試みる者も、年に何人かはいるが、成功した者はいない。軽機関銃をもった警備兵と、無人のセンサー、そして、山にすむ獣が、脱走者の命をうばっているからだ。

生きて収容所をでるには、どうすればいいか――少年は、ときどき考える。だが、いつも答えをだせずに考えるのをやめてしまう。

収容所をでても、行くところがない。ここにいれば、食べるものも寝る場所もあたえられる。だから、むりにでようとする必要はない。

たいせつなのは、毎日の訓練で命を落とさないこと。それだけだ。


夜、ベッドに入った少年は、なかなか寝つけなかった。

二段ベッドがならんだだけの、無機質で殺風景な部屋。みんなのかすかな寝息が聞こえてくる。

いつもなら、目をとじたとたんにねむりについている。だが、今日は、T－25に言われたことが気になっていた。

ぼくの、いちばん古い記憶……。

天井を見ていた少年は、横をむき、目をとじた。

ぼくの、いちばん古い記憶。それは、赤い色だ。

炎の赤。

燃えている家。

音は、聞こえない。

その炎を背景に、女の人が立っている。逆光なので、表情も服もわからない。

ただ、少年には、女の人がほほえんでいるように思えた。

そして、たった一つの音――女の人の声。

「生きなさい。」

その言葉とともに、色がかわる。

赤から黒へ。そして、記憶がきれる。


この記憶は、なんなのか……？

少年は、両親のことをおぼえていない。どこで生まれたのかという記憶もない。

朝、おきる。日がくれるまでの訓練。夜がきて、ねむる。そのくりかえし。

きのうも一昨日も、一月《ひとつき》まえも一年まえも――変化のない日常。

そのなかで、赤い記憶だけが、異質だ。

寝返りをうつ少年。

自分に、「生きなさい。」と言っていた女の人……あの人は、だれなんだろう？

ひょっとして、ぼくのお母さん？

お母さん――その言葉に、少年の感情は動かない。会いたいとも懐かしいとも思わない。

だが、今日は、すこしちがった。

ぼくのお母さんは、どんな人だったんだろう……。やさしい人だったんだろうか？　顔は、ぼくに似ていたのかな？

それとも、T－25の親のように、ぼくを収容所に売ったのか……。

わからない。

少年が、寝返りをうつ。

すると、背中にドンと衝撃があった。下の段に寝ている子が、抗議の意味でたたいてきたのだ。

少年は、動くのも考えるのもやめた。

そして、目をとじる。寝ておかないと、明日の訓練がつらくなる。

寝ぼけてたえられるほど、ここの訓練はあまいものではない。

Y《ヤング》・Q《クイーン》 02

「まったく、どこで道草くってたんだか。お師匠様が腹をすかせて待ってるというのに、弟子《でし》は気楽でいいよな……。」

紫蘇酒《ズースーチュウ》を口にはこびながら、お師匠様がブチブチ言った。

「おくれたといっても、たった三十分じゃないですか。」

クイーンの反論に、お師匠様は、紫蘇酒の入った高脚杯《こうきゃくはい》をクイーンにビシッとむける。

「あまい！」

お師匠様の目は、きびしい。

「たった三十分？　大怪盗をめざす者のせりふとは思えんな。怪盗は、いつでも時間厳守なんだ！　それが、怪盗の美学！　——たとえば、予告状で指定した時間におくれたとする。そこには、誇り高い怪盗の美学はない。あるのは、時間にだらしないコソ泥の姿さ。」

なるほど！

クイーンは床《ゆか》にひざをついた。

「ありがたい教え、ありがとうございます。」

「ふむ……。」

クイーンがすなおに反省したので、お師匠様の目がやさしくなった。

「おまえが弟子入りしてから、五年だったな。」

「はい。」

「五年もたったのなら、もういいか。」

お師匠様は、高脚杯をおくと、野良犬を追いはらうように右手をふった。

「おれのもってる『怪盗の美学』は、すべて教えた。免許皆伝《めんきょかいでん》だ。どこへでも、消え失せろ。」

「え？」

クイーンは、お師匠様の言葉に顔をあげた。ギリシャ彫刻のようにととのった顔に、おどろきの表情が浮かんでいる。

「もう一人前の怪盗だから、修行は、おわりだって言ってるんだよ。」

めんどうくさそうに、お師匠様が言った。

「そうですか……。」

クイーンが立ちあがった。静かな動作だが、まわりの空気はゴゴゴゴとうなりをあげている。

「長かった……ほんとうに、長かった。」

ふりしぼるような、クイーンの言葉。いま、クイーンの頭の中では、地獄のような修行（もしくは虐待、いじめ）の日々が思い返されていた。

「それにたえられたのは、お師匠様をぶったおすという夢があったからです。」

クイーンが、足を肩幅にひらき、かまえた。

「いまこそ、その夢をかなえます。」

その言葉と同時に、クイーンはお師匠様に襲いかかった。籐《とう》いすにあぐらをかいたままのお師匠様は、よけようともしない。大きなあくびを一つすると、頭をカリカリかいた。

「哈《は》！」

クイーンのこぶしは、確実にお師匠様をとらえた——はずだった。しかし、なんの手ごたえも感じられない。

「まえに、教えたことを忘れたのか、この鳥頭《とりあたま》が！」

そう言うと、お師匠様は中指をのばし、クイーンの鼻をピシッとはじいた。いま、お師匠様は、クイーンがのばした右手の甲にのっかっている。

「風をなぐることはできん——よくおぼえとくんだな。」

そう言うお師匠様に、クイーンはきく。

「さっき、免許皆伝だって言いませんでしたか？」

「言ったよ。」

「じゃあ、どうしてお師匠様をたおせないんです……？」

すると、お師匠様は、やれやれというように肩をすくめた。ちなみに、お師匠様は、まだクイーンの右手にのっかったままだ。

「国語の修行をしなかったのは、おれのミスだな。たかが免許皆伝の腕で、このおれをたおせるはずがないじゃないか。」

「……ということは、修行のやり直しですか？」

うんざりしたクイーンの口調。お師匠様は、指をチッチッチとふって、クイーンの手からふわりとおりた。

「寝ぼけたことを言うんじゃねぇぞ。あと百年修行しても、おれをたおすのは、夢の夢だな。」

「あと百年したら、お師匠様は、おいくつですか？」

「二百歳くらいじゃねぇかな？」

「……死ぬ気はないんですか？」

「なにか言ったか？」

「風のささやきです。」

ため息とともに、クイーンは、こぶしをおさめた。がっかりしてるクイーンの肩を、お師匠様がポンとたたく。

「そう気を落とすな。おれに勝てないってだけで、おまえが世界一強いって事実に、かわりはないんだからよ。」

「世界一強いのなら、どうしてお師匠様に勝てないんですか？」

すると、またお師匠様は、指をチッチとふった。そして、その指で自分を指さす。

「それは、このおれが宇宙一強いからだよ。」

クイーンは、また大きなため息をついた。

「とにかく、もうおまえは一人前の怪盗だ。これから、世界中に怪盗クイーンの名がひびきわたるのを、おれはこの山の中で期待してるよ。」

「それは、師匠として、自分がきたえた弟子に期待してるってことですね。」

「いや、おれはもうおまえの師匠じゃねぇ。これは、友人として期待してるんだ。」

「なにを言ってるんですか！　あくまでも、あなたはわたしのお師匠様です！　友人じゃありません！」

クイーンの反論ははやかった。

「…………。」

「…………。」

「……わかったよ。おれは、おまえのお師匠様だ。――ほら、卒業証書をやるぞ。」

お師匠様が、空中からなにかをつかみだすように、右手をふった。その手に、一枚の大きな紙がにぎられている。

「なんですか、これ？」

足元に投げられた紙をひろげて、クイーンはきいた。

「『トルバドゥール』の設計図だ。」

「……トルバドゥール。」

「おれが設計した超弩級《ちょうどきゅう》巨大飛行船だ。世界中の研究機関から、最新技術の理論を盗みだして構成してある。あとは、おまえが部品を盗みだして組み立てるんだな。そして、このトルバドゥールが完成したとき、おまえは、おれ以上の大怪盗だ。」

「……お師匠様。」

設計図をにぎりしめるクイーンの胸に、熱いものがこみあげる。

ひょっとして、自分はお師匠様を誤解していたのではないか……。いままでのつらくきびしい修行（もしくは虐待、いじめ）は、すべて、わたしを大怪盗にするための愛のむちだったんだ。

お師匠様が、てれたように手をふる。

「涙は、大怪盗に似合わないぜ。こういうときは、笑って別れるのが、怪盗の美学さ。」

そう言うお師匠様の目も、すこしうるんでいる。

「さぁ、笑おう！」

そして、二人は笑いあった。涙をこらえ、笑いあう二人に、いままですごした思い出が、いくつもよみがえる。

「こんなに笑ったのは、おまえが、おれに笑《わら》い茸《たけ》を食わせたとき以来だな。」

過去の思い出を語るお師匠様の顔から、笑顔が消える。

「ほんとうは、もっと毒性の強いキノコを食べさせるつもりだったんですけどね。」

クイーンの顔からも、笑顔が消えた。

「…………」

「…………」

無表情になったお師匠様が、つづける。

「おれの食事に、毒を入れたのは八回だったか？」

「残念。九回です。」

「おれの体は、毒に耐性があるんだ。若いころ、村雨《むらさめ》ブラザーズに訓練してもらったんでな。」

「そのあと、お師匠様も、わたしのワインに毒を入れましたよね。」

「あれは、おまえにも、毒に対する耐性をつけてもらおうという師匠の親心じゃねぇか！」

「耐性をつけるまえに、死んでしまったらどうする気だったんですか？」

「死ななかったんだから、文句を言うな！」

「三日三晩、わたしは苦しんだんですよ！」

「おれだって、笑い茸を食わされたときは、四日たっても顔が元にもどらなかった！」

「…………」

「…………」

つぎの瞬間、至近距離から、二人の突きや蹴りが交差した。

はげしい無言の応酬のあと、お師匠様がさけぶ。

「でてけ！　二度と、この家の敷居をまたぐな！」

「こっちこそ、こんなとこでてってやる！」

——こうして、怪盗クイーンは、伝説の怪盗アンプルールの元を巣立った。

それは、まるで、どこでも見うけられる親子げんかのような巣立ちのしかただった。

L《リトル》・J《ジョーカー》 03

真の闇。

地下につくられた『遊戯室《ゲーム・ルーム》』は、体育館ほどの広さがある。

「…………」

少年は、その暗闇の中に立っている。

目はとじている。どうせあけていても、なにも見ることはできないのだ。

呼吸は、三十秒に一度。ゆっくり吸い、吐く。

左足と左手を前へ。右手は、てのひらを下にして、腰の位置につけている。

全身の神経を、左のてのひらへ集める。

「…………」

少年は、大きく息を吐いた。

ときおり、周囲から肉がぶつかりあう音や、短い悲鳴が聞こえる。

もう十人ものこってないな……。

そう考えながら、少年はすこしずつ歩を進める。

左手が、なにかにふれた。

その瞬間、少年は判断する。自分がふれたのが、相手のどの部位か——。筋肉の動きからつぎの動作を読み、先に関節を取る。

相手の動きを封じて、首筋に一撃。

意識のなくなった相手を、ソッと床《ゆか》に横たえる。

これで、四人……。

呼吸に乱れはない。

少年は、左手を前にだすと、また闇の中でかまえた。


月に一度、収容所では〈ゲーム〉がおこなわれる。一か月間の訓練の成果をためすためのものだ。

場所は、地下につくられた『遊戯室』。三十八人の少年が中に入ると、電気が消される。

少年たちは、それぞれ首に太い鋼鉄製の首輪をつけている。首輪のうしろの部分には、スタンプ型の注射器。ここに衝撃をあたえると、即効性の麻酔剤が注射される。

麻酔剤の効き目は、二十四時間。

ルールは、かんたんだ。たがいに戦い、最後に一人がのこった段階で、〈ゲーム〉はおわる。

〈ゲーム〉がはじまってから数時間がすぎた。

休みたいのなら、戦って勝つ。

食事をしたいのなら、戦って勝つ。

この極限状況から逃げだし、安らかにねむりたいのなら……そのときは、自分で首筋を打てばいい。しょせん、そのような精神では、収容所《ここ》では生きていけない。

長時間、闇の中にいると、自分の体が闇にとけてしまったような気がする……。

体の輪郭《りんかく》が、はっきりしない。

自分は、いま、ねむっているのかおきているのか……。

少年は、体力を消耗しないよう、進んで闇と同化する。

前にだした左手に意識を集中させ、すこしずつ闇の中を進む。

ときどき、足が、たおれている者の体にふれる。

〈ゲーム〉がはじまってからの時間、自分がたおした人数、足にふれたたおれている者の数——

これらから考えて、のこっている者は、ごくわずかだ。

そう考えたとき、左手にふれるものがあった。

ふれたのは、相手の右手首。関節をかためようとした瞬間、相手のほうがはやく動いた。

少年の左手に、相手の右手がからみついてくる。

マズイと思ったときには、足をはらわれていた。宙に体が舞う。

こいつ……強い。

背中から、固い床に打ちつけられ、少年は息がとまった。

床をころがり、攻撃をかわす。だが、相手の動きのほうがはやい。両手をついておきあがろうとしたとき、背中を足で押さえられる。

右手を背中でかためられ、少年はうつぶせにされた。

ここまでか……。

最後の一撃が襲ってくる瞬間、少年は覚悟を決めた。

だが、相手からの攻撃はなかった。押さえられていた右手が、ゆるむ。

——不思議に思う時間はなかった。

少年は跳ねおきると、相手の首筋に右足のかかとをたたきこんだ。手加減している余裕は、なかった。

「ゲームオーバー!」

スピーカーから声がして、『遊戯室』に電気がついた。

闇に慣れた目には、かすかな灯《あか》りでも突きささるように感じる。

少年は、固くとじていた目を、ゆっくりひらく。

足元にたおれているのは、T《ティー》－25だった。

「おめでとう、T－28。」

その声と同時に、『遊戯室』の扉がひらいた。


「たいしたものだな。」

スキンヘッドに黒メガネのTが、プリントアウトした書類をデスクに投げだす。

『遊戯室』をでた少年がむかったのは、Tがいる『研究室』だった。

Tがすわっているのは、部屋の奥にある巨大なデスク。ほかに、調度品らしきものはない。

左側のかべには、二十五個のモニターがならんでいる。その一つに、明るくなった『遊戯室』がうつしだされていた。

「きみの戦いは、赤外線モードで見させてもらっていた。ほんとうに、たいしたものだ。」

白衣は着ているが、まったく似合わない。彼が似合うのは、軍服。そして、硝煙《しょうえん》のにおいだ。

少年は、Tのほうを見ない。『遊戯室』のうつったモニターを見ている。

カメラがきりかわり、床にたおれているT－25がうつった。ほかの者は、苦しそうな表情を浮かべているが、T－25だけは、昼寝している猫のような安らかな顔をしている。

Tは、モニターの電源を落とした。

「この数回、〈ゲーム〉の勝者は、つねにきみだ。このT部隊の中で、最強と言っていいだろう。それに、きみはまだまだ成長途中だ。もっと体も大きくなる。これから、どれだけ強くなるか楽しみだよ。」

「……ちがう。」

ボソッと、少年はつぶやいた。

ちがう。自分は、最強じゃない。

少年は、考える。

Tの言うとおり、少年は〈ゲーム〉で勝ちつづけてきた。だが、今日勝てたのは、T－25が攻撃の手を休めたからだ。

なぜ、T－25は、トドメをささなかったのか？

彼の戦い方には、余裕が感じられた。いつでも、たおそうと思えばたおせる——そんな余裕が。

T－25。彼こそが、最強だ。

では、なぜ、いままでの〈ゲーム〉で、T－25は勝ちのこらなかったのか？　あれだけの力があるのなら、勝ちつづけても不思議じゃないのに。

……わからない。

「どうかしたのかね？」

Tが、考えこんでいる少年を見る。少年は、まったくちがうことをTにきいた。

「なぜ、ぼくらを戦わせる？」

すると、Tは、意外そうな顔をした。

「どうして、そんなことをきくのかね？」

「答えろ。」

静かな口調で、少年は再度きいた。Tは、やれやれというように肩をすくめる。

「きみたちは、実験体だ。いちいち、モルモットが研究内容をきいたりするかね？」

「…………」

「部屋にもどりたまえ。ほかの実験体も、もうしばらくしたら目をさますだろう。」

「…………」

少年は、動こうとしない。だまって、Tをにらみつけている。

Tは、また肩をすくめた。そして、ひとりごとのようにつぶやく。

「はじめ、T部隊は五十人いた。それがいまは、三十八人になっている。十二人がどうなったかは、わかってるな。」

少年は、うなずく。

十二人は、訓練中に命を落とした。

「弱い者は、死ぬ。生きのびたかったら、強くなりたまえ。」

Tの言葉を聞いて、少年の記憶がよみがえる。「生きなさい。」——炎を背景に、そう言っていた女の人。

Tがくりかえす。

「強くなりたまえ。親心から、言ってるんだよ。」

少年は、その言葉に背をむける。

そして、部屋をでる際に、ふりかえって言った。

「おまえは、親じゃない。」


少年は、固いベッドに寝ころんでいた。

〈ゲーム〉のあとは、ひたすらねむり、体力の回復をはかる。それが、いままでの習慣だった。

だが、今日はねむれなかった。

なんだか、胸のあたりがモヤモヤする。

この気持ちがなんなのか？　少年は考えた。そして、気づいた。

自分は、怒ってるんだ。

そう、少年は、T－25に対して怒っていた。

それと同時に、自分が、他者に対して〝怒り〟という感情をもったことにおどろいていた。

「やっぱり、ちゃんとベッドで寝ないと、寝た気がしないな。」

大きなのびをしながら、T－25が入ってきた。

少年はベッドからおりると、彼の前に立った。

「よぉ。」

T－25は、軽く手をあげると、少年の横を通ってベッドのほうへむかう。少年は、彼の肩に手をかけた。

「なんだ？」

ふりかえるT－25に、少年はきいた。

「どうして、わざと負けた？」

その言葉を不思議そうにきいてから、T－25は、ポンと手を打った。

「最後に、おれをたおしたのは、おまえだったんだ。うん、あの蹴りは、よかったな。」

少年の肩をポンとたたき、ベッドにむかうT－25。

少年は、もう一度T－25をとめた。

「どうして、わざと負けたんだ！」

T－25は、少年の真剣な目を見て、ため息をつく。

「あのさ、おれは好きで戦ってるわけじゃないの。だったら、いつ勝とうが負けようが、おれの自由だろ。」

「…………」

「それに、おまえは友だちだろ。だから、戦いたくないんだよ。」

あっさりと、T－25が言った。

「友だち……。」

少年は、その言葉をつぶやいてみた。いままで、口にしたことのない言葉。くちびるの感じが、くすぐったい。

「じゃあ、おれは、ねむらせてもらうよ。」

そう言うと、T－25はベッドに横になった。

すぐに寝息をたてはじめたT－25を見て、少年は、もうなにもきけなかった。


ベッドにもどって、少年は考える。

友だち……。

その言葉は、少年にとって、無縁のものだった。自分以外の者は、すべて敵。そして、自分より強いか弱いか。――それが、他者とのかかわりのすべてだった。

「友だち……。」

少年は、小声でつぶやいてみる。

やっぱりくちびるがくすぐったく、少年は腕で口元を乱暴にこすった。

「なぁなぁ、この収容所の目的って、なんだと思う？」

〈ゲーム〉の翌日、なにごともなかったかのように、T－25は少年に話しかけた。

少年は、答えない。

いつのまにか、T－25に対してもっていた怒りは消えていた。かわりに、疑問がわきおこってくる。

なぜ、T－25は、こんなに明るいんだ？

なぜ、ぼくにかかわってくる？

なぜ……？

「なぁ、どう思うよ？」

T－25に顔をのぞきこまれ、少年はわれに返った。

「え？　……ああ、ごめん。聞いてなかった。」

少年の言葉を聞いて、T－25はおどろく。

「いま、おまえ、『ごめん。』って言ったよな？」

「………」

「おまえ――っていうか、収容所《こ こ》にいるやつでも、人にあやまったりするんだ。」

ひどい言われ方だと、少年は思った。自分が悪いと思ったら、ちゃんとあやまる。それぐらいの常識は、知っている。

ただ、自分が悪いと思うようなときがないから、あやまらないだけだ。

口を真一文字に結ぶ少年。目には、頑固そうな光。

T‐25は、もう一度、質問をくりかえした。

「この収容所の目的――なんだと思う？」

目的……そんなこと、考えたこともなかった。だまっている少年に、T‐25はかってに話しつづける。

「おれは、傭兵《ようへい》の養成機関じゃないかと思ったんだ。それか、特殊部隊の隊員。ほら、世界中、どこかで内戦や紛争がおこってるだろ。だから、ぜったいに需要があると思うんだ。」

なるほど……。なっとくする少年。そして、思考は、またT‐25のことに行ってしまう。どうして、T‐25は、ぼくにかかわろうとするのか？

T－25は、少年がべつのことを考えてるのに、気づいていない。

「でも、そう考えると、おかしなこともあるんだ。」

ニヤリと笑うT－25。

「おれたちは、傭兵にとって欠かすことのできない火器の訓練を受けていない。個人用携帯小火器——拳銃、短機関銃、狙撃銃、突撃銃。それに対戦車ミサイルや迫撃砲。これらの訓練をしないで、傭兵を育てられるのか？」

「…………」

「おい、聞いてるのか？」

T－25が、少年の顔を自分のほうへむける。至近距離に人がいるのに慣れていない少年は、思わず考えていたことを口にしてしまった。

「なんで、おまえは、ぼくに話しかけるんだ？」

「おかしなことをきくなよ、友だちだろ。」

友だち……。その言葉を聞くと、ますます少年はわからなくなった。

「なんで、友だちなんだ？」

「……なんでって、言われてもな。」

頭をカリカリかいて、T－25が考える。

「おれは、おまえがうらやましいのかな。だって、おまえ、自分の親の記憶がないんだろ。」

どうして、親のことをおぼえてなかったら、うらやましいんだ？

「記憶がなかったら、恨まなくてもいいだろ。自分を産んだ親を恨むって、けっこうきついんだぜ。」

そう言うT－25の顔は、いつもとかわらない明るいものだった。


それから、何か月かすぎた。

その日の〈ゲーム〉で、少年は最後までT－25と戦うことはなかった。

きっと、わざとはやく負けて、いまごろは寝てるんだろうな……。

最後までのこっても、自分はほんとうの勝者じゃない。T－25は、自分よりもっと強い。

そう思うと、少年はイライラした。その気持ちが、少年から余裕をうばう。

ようしゃない一撃が、相手の首筋を襲った。

相手がたおれると同時に、『遊戯室』に電気がついた。

「ゲームオーバー！」

「これで、きみは九回連続で勝つことができた。おめでとう。」

内容のわりに、Tの言葉には感情がこもっていない。

「以前、きみは、どうして戦わせるのかときいたね。」

Tが、サングラスを取った。左目のわきに、ひきつれたような傷がある。

「答えてあげよう。」

それに対し、少年は言う。

「いらない。……知ってるから。」

ボソッと答える少年に、Tの目が、細くなった。

「なにを知ってるというんだ？」

そして、組んだ手の甲の上にあごをのせ、少年を見る。

少年は、Tのほうを見ないようにして、答える。

「ここは、傭兵を育てる研究所なんだ。そのために、ぼくらは毎日訓練されている。」

「……だれに聞いた？」

少年は、答えない。

かべにならんだモニターを見つめている。

「だれに聞いたか知らないが、正解ではないな。」

「うそだ！」

「うそじゃない。」

静かな口調で答えるT。そのようすは、うそを言ってるようには感じられない。

「もし傭兵を育てるのなら、もっと効率よくやっている。」

「………。」

「傭兵養成機関なら、もっと軍事的な訓練を主眼におこなう。あるていどの人数全体をレベルアップし、戦場で使えるようにするのが目的だ。だが、ここのやり方は、そうではない。」

Tが、人さし指を一本のばす。

「一人──一人だけでいい。超人的な能力をもった人間を一人でもつくれれば、われわれの目的は達成される。」

「目的……。」

「知りたいかね？」

デスクの横に手をのばすT。ボタンの一つを押す。

カチリと音がして、少年の首から麻酔薬のしこまれた首輪が落ちた。

「明日、最後の〈ゲーム〉をおこなう。きみが勝てば、この収容所の目的を教えよう。負ければ、もう一度、やり直しだ。メンバーを追加し、実験をくりかえす。」

Tは、少年の肩をポンとたたいた。

「知りたいのなら、勝ちたまえ。」

「……イヤだ。」

少年は、Tの手をはらいのけた。

「なぜだね？　きみ自身、勝つことが楽しかったんだろ？　だれにも負けない力を手に入れたくはないのかね？」

「ぼくは……友だちと戦いたくない……。」

ボソッと、少年は言った。そして、くちびるを手でゴシゴシこする。

「友だち？」

信じられないというように、Tがつぶやいた。そして、腹をかかえて笑った。

「なにを言うかと思ったら、『友だち』だと？　そんな言葉を知ってるとは、ほんとうにおどろきだ！」

Tが、暗い目で少年を見る。

「おまえたちには、友だちはいない。いるのは、敵か味方か、どちらかだ。」

少年は、Tから目をそらさない。

Tも、目をそらさない。

「とぎすまされた刃物は、もつ者を傷つける。どれだけうまく取りつくろおうと、それは否定できない事実だ。」

「ちがう……。」

ふりしぼるように、少年が言う。

「ちがう……ぼくは、人間だ。刃物じゃない。」

「……自分のことが、よくわかっていないようだな。」

あわれむような、Tの口調。

「おまえだけじゃない。ここにいるのは、敵をたおすことになんのためらいも感じない、戦闘マシーンのような人間ばかりだ。」

だまっている少年に、Tはきく。

「地獄がどんな場所か知っているか？」

そして、足元を指さした。

「わたしたちがいるこの場所——ここが、地獄だ。」

Tの部屋をでたあと、少年はT－25をさがした。

施設のはずれ——二重のフェンスに、T－25はもたれていた。少年が近づくと、T－25のまわりにいた鳥が、バタバタと飛びたっていく。

「今回の〈ゲーム〉も、おまえが勝ったのか？」

T－25が、少年にきく。うなずく少年。

「そうか。すごいな、これで九連勝か？」

それには答えず、少年はボソッと言う。

「Tに言われた。ぼくたちには、友だちはいないって——。」

「………………」

「ぼくらには、敵か味方しかいないって。」

「人の考え方は、さまざまさ。いいじゃん、Tがなにを言っても。現に、おれはおまえの友だちだ。おまえだって、そう思うだろ。」

軽い感じで言うT－25。少年の目つきがするどくなる。

「ぼくは……Tの言うとおりだと思う。ぼくら――この収容所にいる者には、友だちなんかいないんだ。自分以外は、みんな敵だ。」

少年は、T－25からすこしはなれる。腰を落とし、こぶしをかまえる。

「『友だちだから戦わない。』――そんなこと言ってるおまえだって、命があぶなくなったら、戦うに決まってる。」

少年の体から、はげしい殺気がほとばしる。

「おい、ちょっと待――。」

T－25の言葉がおわらないうちに、少年の体が動いた。

顔面にむけての左右の突き。T－25は、体をひねって、少年の攻撃をよける。

少年の体がしずんだ。足ばらい――T－25は両足をかかえるようにして背後へとぶ。

「やめろ！」

襲ってくる少年の蹴りを、T－25は両手でつかむと、ひねった。コマのように回転する少年の体。

T－25は、考えていた。関節をかためて、少年の動きを封じる。ケガをさせたくない。

しかし、少年は、まったくべつのことを考えていた。

――T－25を殺す。関節をくだかれてもいい。骨を折られてもいい。T－25の命をうばうんだ。

技も体力も、T－25のほうが上だろう。しかし、相手の動きを封じることを考えている人間と、相手を殺すことしか考えていない人間では、勝敗は見えている。

少年の右廻脚《みぎかいきゃく》が、T－25の首筋をとらえる。T－25は、背中から地面にたたきつけられた。

「ぼくの勝ちだ。」

馬乗りになった少年。かぎ状に曲げた指が、T－25ののど笛をつかんだ。

「……どうした？　殺さないのか？」

T－25が、ふつうの口調で言った。少年が右手をひねるだけで、彼を殺すことができる。

だけど、少年は力をぬいた。そして、T－25の目を見てきいた。

「どうして、本気で戦わない？　おまえは、その気になったら、ぼくを殺すくらいかんたんにできるんだろ？」

「だって、友だち殺すのって、イヤじゃん。」

「自分が殺されても？」

少年の問いに、T－25はニカッと笑って答えた。

「おれが、そう決めたんだ。」

……負けだな。

少年は、T－25をはなした。T－25は、立ちあがると、服のホコリをはらう。

「あのさ、まえに、おれが親を恨んでるようなことを言っただろ。」

T－25が、ほほえみながら言う。

「でも、ほんとうは感謝してるんだ。もし、親がおれを売らなかったら、おれは飢え死にしているる。おれだけじゃない。家族みんな、金がなくて死んでるさ。売られたおかげで、おれも家族も、飢えることがなくなった。——だけど、友だちと戦うのはイヤなんだ。」

「…………。」

「おれのなじみの神様が、そう言ってる。その教えを守ってたら、幸せな人生に生まれかわれるのさ。」

「……ほんとうに、信じてるのか？」

少年の問いに、T－25は力強くうなずいた。

はじめから勝負にならなかったんだ。——少年は、気づいた。信じるものをもってるT－25

に、自分が勝てないって。

「ぼくは、神様を信じてない。だから、攻撃されたら、相手をたおす。殺すかもしれない……。でも……。」

少年が、T-25を見る。

「おまえを信じる。友だちと戦いたくない。」

そして、フェンスの外へ目をむけた。「生きなさい。」という言葉、「友だちと戦いたくない。」という思い。少年は、決心した。

「ぼくは、収容所《ここ》をでるよ。」

「なんだよ、きゅうに――。」

「戦いたくなくても、ぼくの体は反射的に攻撃を返してしまう。だから、だれとも戦わなくていいところへ行くよ。そして、おまえみたいに覚悟ができたときは――。」

少年は、ほほえもうとした。だけど、どうがんばっても、顔の筋肉は反応してくれなかった。しぜんに笑えるT-25を、とてもうらやましく思った。

だから、いつもの無表情で、少年は言った。

「そのときは、ほんとうに友だちだ。」

「──いまでも、友だちだろ。」

T－25が、左耳のピアスをはずし、少年にほうった。

「おれの村では、小さいときに両耳にピアスをするんだ。そして、村をでて友だちを見つけたら、片方のピアスを贈る風習がある。」

「………」

「受けとってくれ。」

自分の手の中にあるピアスを見る少年。銀色に光る小さなピアス。

少年は、こぶしをにぎりしめた。

T－25が、言う。

「この収容所から脱走できたやつはいないってこと、おまえは知ってるんだろ？」

うなずく少年。

「でも、行くって決めたんだな。」

また、少年はうなずいた。そして、T－25にきく。

「とめるのか？」

「おれがとめても、言うこと聞くとは思えないしな。それに、おまえにやったピアスは、幸運の

女神《めがみ》でもある。大丈夫、おまえは死なないよ。」

T－25のウインク。

「また、会おうぜ。」

少年は、T－25に背中をむける。そして、フェンスに手をかけた。

それからの数日間――。収容所は、脱走者の捜索で殺気だった。だが、脱走者を見つけることはできなかった。深い山の中で、脱走者は命を落とした――だれもが、そう思った。

Y《ヤング》・Q《クイーン》 03

怪盗アンプルールの元をでてから数年がたっていた。

クイーンは、雪のふる街を歩いている。

トルバドゥールは、その八十パーセントが完成している。

コンピュータシステムは、最新のものを搭載したが、クイーンは満足していない。

ただ単に、航行システムを管理するだけなら、いまのコンピュータでじゅうぶんだ。だが、クイーンは、トルバドゥールには、世界最高の人工知能を搭載しようと考えていた。

命令を受けるだけでなく、ときには助言をあたえてくれたり、はげましをくれる――そんな友だちのような人工知能を、クイーンはのぞんでいた。

そのとき、クイーンは、道のわきに落ちている人形を見つけた。いや、よく見ると人形じゃない。子ども――少年だ。

「…………」

クイーンは、少年ののばした足元に立つ。

死んでいるのか……？　体には、雪がつもっている。もう寒さも感じないんだろうか。

クイーンは、手をのばす。すると、少年の右手がピクンと動いた。

少年は、生きている。

クイーンは、少年に話しかけた。

「死ぬ気なのかい？」

少年は、答えない。なにか考えているようだ。

立っているクイーン、すわりこんでいる少年に、雪がふりつもる。

しばらくして、少年の口がひらいた。

「……帰ってくれ。ぼくは……生きる。」

L《リトル》・J《ジョーカー》 04

——死ぬ気なのかい？

天使にきかれて、少年は不思議に思った。

いまさら、どうしてそんなことをきくんだろう？　死ぬ覚悟は、もうできている。なにもきかずに、つれていってくれたらいいのに……。

死ぬ気なのか？　——その言葉と同時に、赤い記憶がよみがえる。炎を背景に、「生きなさい。」と言った女の人。生きなさい——あの人は、そう言った。生きなさいって……。

そして、T《ティー》－25の顔も。あいつは、つぎの人生のために、いまを生きている。だけど、ぼくはそんなのごめんだ。まだまだいまを生きてやる！

少年は、決めた。神様に文句を言うのは、もうすこしあとにしようって。

だから、せっかくむかえにきてもらった天使には悪いけど、帰ってもらおう。

「ぼくは……生きる。」

そう言うと、風が動いた。天使が、飛びたったんだろうか……？

そう思ったが、ちがった。ぱさっ、ぱさっと、天使が少年につもった雪を手ではらってくれている。

少年は、顔をあげた。

天使が、少年の上に白いコートをひろげている。雪の白さではなく、コートの白さにつつまれる少年。

天使が、ほほえんだ。

Y《ヤング》・Q《クイーン》&L《リトル》・J《ジョーカー》　PAST《過去》

ほほえむクイーン。

目の前の少年は、生きると言っている。この状況で、生きることをえらんだ少年の強さが、クイーンにはうれしかった。

少年にきく。

「名前は？」

名前……？　少年は、とまどう。

「T《ティー》－2……。」

そう言いかけた言葉が、とまる。あれは、名前ではない。T－28――それは、識別番号だ。

「名前は？」

ふたたび、そうきかれて、少年は口をひらいた。

「名前は、ない。」

「そう……。」

すると、声がつづけて言った。

「じゃあ、わたしがきみに名前をあげよう。」

おどろいて顔をあげる少年。

「そうだな……。わたしの友人になるんだから、それらしい名前がいいな。」

クイーンの目がかがやく。そして、人さし指をのばすと、少年のひたいにふれた。

「『ジョーカー』なんていうのは、どうだろう？」

ジョーカー……。

少年は、心の中でつぶやいてみる。

ジョーカー……。

すると、不思議なことに、自分はむかしから『ジョーカー』だったのではないかと思えてきた。

「どうかな？　気に入ってもらえたかな。」

クイーンが、小首をかしげる。少年は、だまってうなずいた。

うれしそうにほほえむクイーン。そして、少年にむかって手をのばした。

「よし、きみは今日からジョーカーくん――わたしの友だ。」

その手を取ろうとした少年――いや、ジョーカーの手がピタリととまる。

そのとき、少年の心に、T‐25のほほえんだ顔が浮かんだ。

「友だちじゃない。……仕事上のパートナーだったら、いい。」

その言葉に、こんどはクイーンの手がとまった。でも、すぐにジョーカーの手を取る。

「そうだね。最初は、パートナーからはじめよう。」

二人の手が、結ばれた。

「あなたの名前は……？」

ジョーカーが、きいた。クイーンは、白いコートをジョーカーにかけると、答えた。

「わたしの名は、クイーン。怪盗を生業《なりわい》にする者だよ。」

「怪盗……。」

ジョーカーは、その言葉を口にした。その瞬間、世界が一変した。

白い雪におおわれた石畳の街が、なんだか夢の世界のように見えてくる。

「怪盗……。」

もう一度、つぶやいてみる。不思議な言葉だ……。その言葉は、ちがう世界へのチケットのように思えた。

ジョーカーは、クイーンの手を強くにぎった。

Y《ヤング》・Q《クイーン》&L《リトル》・J《ジョーカー》　PRESENT《現在》

それから、何年かがすぎた。

超弩級巨大飛行船《ちょうどきゅうきょだいひこうせん》トルバドゥールの船室《キャビン》には、たくましく成長したジョーカーがいる。すでに、少年の面影はない。

かわらないのは、友ではなく仕事上のパートナーだという認識。そして、左耳のピアス。

大きくかわったのは――。

「どうして、あのとき『天使』だなんて思ったんだろう……？」

ジョーカーは、深いため息とともに言った。

ソファーの上では、クイーンが猫と戯《たわむ》れている。いや、猫に遊んでもらっていると書くほうが正確だろう。

［よろしければ、わたしの辞書ファイルに登録されている『天使』の定義を申しあげましょうか？］

人工知能のRD《アールディー》が、口をはさんだ。そして、ジョーカーの気持ちなどまったく考えずに話しはじめた。

「いろいろな解釈がありますが、そのなかの一つに、『やさしくいたわり深い人』というのがあります。」

それを聞いて、ジョーカーの顔に暗い線があらわれた。

「そして、『天使』の対義語として『悪魔』が登録されています。そして、『悪魔』の同義語として登録されているのが――」

「いや、それについては言わなくてもいいよ。」

ジョーカーは、RDの言葉をさえぎった。言わなくてもいい。言われなくても、わかってる……。

ソファーの上のクイーンが、ジョーカーを見る。

「意味不明の言葉があるのなら、辞書を貸してあげるよ。」

そして、ソファーの下から、フランス語の辞書をだした。

気が進まないながらも、ジョーカーはページをひらき、『天使』の項目を見た。そこには、太いゴシック体で、つぎのように書いてあった。

天使【てんし】：ジョーカーくんの友だちのこと。

――友だち……。

ジョーカーは、左耳のピアスにふれた。

クイーンが、ジョーカーから返してもらった辞書をパラパラとめくる。

「なかなか、うまい表現だろ。直接的に『クイーンを見よ。』って書かないところが、文学的なんだ。」

満足そうなクイーンに、ジョーカーが言う。

「仕事もしないで、こんな辞書をつくってたんですか？」

「特別改訂版だよ。」

Vサインとともに、クイーンは言った。

ジョーカーは、クイーンの手から辞書をうばうと、部屋のすみにポイとほうった。RDが、すかさず送風してダストシュートにほうりこむ。

「こんなくだらないことをしてるひまがあったら、仕事をしてください。」

ジョーカーに怒られて、クイーンはブチブチと文句を言う。

「冷たい男だね。もうすこし、友だちに温かい言葉をかけても、神様は文句を言わないと思うよ。」

その言葉に、ジョーカーは胸をはって答える。

「何度も言いますが、ぼくは仕事上のパートナーであって、あなたの友だちではありません。」

友だち——この言葉を言っても、くちびるがくすぐったくない。ジョーカーは、そのことがなんとなくうれしかった。

The Encounter

魔王城殺人事件
a Kaleidoscope
ゾンビ
アリバイトリック
死体消失
本格ミステリ
探偵クラブ「51分署捜査1課」は
町はずれの洋館の秘密を暴く
イラスト：川野
講談社文庫
定価：本体620円（税

「魔王城殺人事件」内容紹介

星野台小5年1組の佐藤翔太たちは、探偵クラブ「51分署捜査1課」を結成する。二学期最初の活動は、町はずれに建つ洋館〝デオドロス城〟のガサ入れ。潜入直後、突然ゾンビ女(?)が現れ、庭の小屋の中で消失する。後日、再潜入した翔太らは、今度は小屋の中で死体を発見し――。

〈著者プロフィール〉

歌野晶午 Utano Shogo

1988年『長い家の殺人』でデビュー。2004年『葉桜の季節に君を想うということ』で第57回日本推理作家協会賞、第4回本格ミステリ大賞をダブル受賞。'10年『密室殺人ゲーム2.0』で第10回本格ミステリ大賞をふたたび受賞。著作多数。近著に『ずっとあなたが好きでした』『Dの殺人事件、まことに恐ろしきは』『間《ま》宵《よい》の母』など。

初《うい》楼《ろう》 ―― 前史 ――

The prehistory of "UIROU"

▼

「勝てるのか、ズキア?」

右肩から聞こえるコロンバの口調は、すこしも心配していない。それは、「三と二をかけたら、六になるんだっけ?」と確認するような感じ。

ぼくは口元を手でかくし、小声で言った。

「とうぜん。」

ぼくは、右肩に手をのばし、コロンバの頭をなでる。銀鳩《ぎんぽと》のコロンバ——ぼくの唯一の相棒だ。

目を、ぼくの前にすわってる太った男にむける。くちびるのはしで葉巻をくわえ、てのひらにかくすように五枚のカードをもっている。派手な背広を着ているが、実体は、広いトウモロコシ畑の農場主ってところだろう。毎晩、近くの酒場でむかしなじみを相手に小銭《こぜに》をかせいでるようなやつだ。自分のことをポーカーキングと言ったりして、このラスベガスに自分の腕をためしにきたってところだな。

「ベガスも、ぬるかったな。」——田舎《いなか》に帰ったら、そんな自慢話をする気にちがいないが、残念なことにむりだ。なぜなら、勝負してる相手が、このぼくだから。

「コール。」

太った男が、無造作にカードをテーブルの上にオープンした。

「K《キング》のフォーカードだ。」

勝ちほこった声。テーブルの上で、四人のキングが歯をむきだして笑ったような気がした。

男は、くわえていた葉巻の煙を吐きだす。そして、ぼくらのあいだにおかれたチップの山に手をのばした。

ぼくは、その手を押さえて、男に言う。

「おいおい。ポーカーのルールを知らねぇのか？　賭けたチップは、相手に勝ったときだけ手に入るんだぜ。」

「おまえさんこそ、ルールを知ってるのか？　おれの手札はKのフォーカード。まさか、A《エース》のフォーカードでももってるのか？」

ぼくは、だまってうなずく。

そして、テーブルに自分のカードをオープンした。四枚のAが、テーブルに散らばる。

男のくちびるにはりついた葉巻が、ダラリと垂れさがる。ぼくは、その葉巻をやさしく男の口にさしこみ、言った。

「Kのフォーカードより、Aのフォーカードのほうが強い。よって、この勝負は、ぼくの勝ちだ。」

ぼくは、両腕でかかえるようにして、チップの山をひきよせる。

「悪いな。」

「イッ、イッ……イカサマだ！」

男のかみちぎった葉巻が、テーブルに飛びちった。まったく、美意識に欠けるやつだ。

ぼくは、肩のところで両手をひろげて言った。

「失礼なやつだな。その言葉は、ぼくのような真の賭け師《ギャンブラー》には、最大の侮辱《ぶじょく》だ。おまえさんが負けたのは、ぼくがイカサマをしたからじゃない。敗因は、たった一つ——。」

ここで、すこし間をおき、白いタキシードの胸ポケットから赤いバラをぬく。

「この《A《エース》のズキア》を相手にしたことさ。」

決まった！

コロンバの感想を聞こうと、ぼくは右肩を見た。コロンバは、そっぽをむく。

「Aのズキア……。」

男の顔色がかわった。恐怖で青くなったんじゃない。怒りで赤くなったんだ。

「てめえが、イカサマ野郎のズキアか！　だれにことわって、おれのカジノに出入りしてやがるんだ！」

〝おれのカジノ〟……？　みょうなことを言うやつだが、まあいい。

「《イカサマ野郎》か……。その呼び名は、好きじゃないな。《Aのズキア》──そう呼んでほしい。」

ぼくは、テーブルのカードに手をのばす。

「それより、勝負をつづけよう。安心しな。トウモロコシ畑に帰れるだけの電車賃はのこしてやるから。」

「ふざけるな！」

太った男が、指を鳴らした。とたんに、黒服に黒サングラスの男たちが、ワヤワヤとわいてくる。

……あれ？　どうして、たかが田舎の成金《なりきん》がカジノの黒服を集められるんだ？

「おまえさん、田舎でトウモロコシをつくってる成金じゃないのか？　夜は、近くの酒場で幼なじみからポーカーで小銭をまきあげるような──。」

男が、〝こいつ、なに言ってるんだ？〟って顔で、ぼくを見る。そして、言った。

「おれは、このカジノのオーナーだ。」

「…………」

ぼくは、コロンバを見る。そっぽをむいたままのコロンバ。どうやら、ぼくの人間観察ははずれていたようだ。

男が、ぼくを指さす。

「寝言は、オーバーハング・ストリートへ帰ってから言いな。そして、二度と、こっちへでてくるんじゃねぇ。」

〝でてくるな〟か……。これが、自由の国アメリカの住人のせりふと思うと悲しくなってくる。

黒服の男たちが、ぼくを中心に円を描く。

殺伐とした空気を感じた一般客が、席を立った。ガランとしたカジノに、太った男と黒服たち、そしてぼくとコロンバがのこされた。

「さぁ、でていくんだ。」

黒服の一人が、ぼくの右肩を押そうとする。

その瞬間、ぼくは男の手をつかんでいた。

「コロンバにさわるな。」

自分でも、こわくなるような低い声だ。コロンバは、ぼくのたいせつな相棒。きたない手でふれようとするやつは、ゆるさない！

ぼくは、黒服をにらみつける。黒服の顔に、恐怖が浮かぶ。自分の理解をこえた化け物を前にしたとき、人間はこんな顔をする。

「やめておけ、ズキア。」

コロンバの声が、ぼくを冷静にさせる。

「おまえは、賭け師だろ。格闘家じゃない。自分を見うしなうんじゃない。」

「…………。」

たしかに、コロンバの言うとおりだ。こんなところで暴れても、腹がへるだけだ。なんの得もない。

ぼくは、肩の力をぬき、やさしい声で言う。

「もめごとはきらいなんだ。きみたちがなにもしなければ、ぼくもなにもしない。約束するよ。」

「…………。」

黒服たちは、なにも言えない。ぼくは帰ろうと立ちあがる。

「おまえたち、なにをしてるんだ。そいつを帰すんじゃない！」

太った男が、黒服たちに命令した。

相手の力量がわからないやつは、長生きできない。黒服たちは、いままで何度も修羅場《しゅらば》をくぐってきたプロの集団だ。このぼくにかかってくるはずがない。

ほえるのは、格闘経験のない太った男だけ——そう思ったのだが、あまかった。

まだハイスクールの制服のほうが似合ってるような坊やが、ナイフをだした。

「わぁ〜！」

悲鳴のような声をだし、ナイフを、ぼくの腹に突きたてる。

ナイフの柄をにぎったまま、ふるえてる坊や。顔を見ると、ほんとうに若い。へたしたら、十代半ばだ。

ぼくは、坊やの顔を見て言う。

「ナイフをふりまわすやつは、自分も刺される覚悟があるはずなんだが——。きみに、その覚悟はあるのかな？」

刺されても平然としているぼくのようすを見て、坊やが腰をぬかした。どうやら、覚悟はできてなかったようだ。

まわりの黒服も、後ずさる。

やれやれ……。ここは、楽しい紳士の社交場じゃなかったのか？　いまの雰囲気は、まるで死体おき場だ。

「じゃあ、このナイフは、ぼくがもらっておこう。それに、いまぬくと、血が噴きだすからね。これ以上、タキシードをよごしたくないんだ。」

ぼくは、自分の腹から生えているナイフを、ぬけないようにきちんと刺し直す。そして、テーブルの上にのこっていたチップの山に手をのばした。

「これは、穴のあいたタキシード代として、もらっていくよ。」

「ばっ……化け物か、おまえは!」

太った男が言った。

化け物……、何度も聞いてきた言葉だ。いまさらショックを受けることはない。

ぼくは、軽く肩をすくめる。

「神様は、うっかり者だ。ぼくをつくるとき、痛みを感じる部品を、つけ忘れたんだ。」

「…………」

もう、だれもなにも言わない。まるで、時間がとまったかのように、動かない。

ぼくは、投げキッスを一つのこすと、ドアをあけた。

カジノをでると、そこはにぎやかなラスベガスの街。

満面の笑みで通りを歩く観光客。華やかにきらめくネオンサインと、車の音、人々の声。

そんなにぎやかな空気の中にいても、ぼくの気持ちは晴れない。せっかくの白いタキシードに、穴があいてしまったからだ。おまけに、血もにじんでる……。

ぼくのミスは、今夜の相手に、あの太った男をえらんだこと。たしかに金はもってたが、こまったことに美意識をもってない。

しかたない……。今夜は、おとなしくオーバーハング・ストリートに帰ろう。

あそこは、ろくでもない裏通りだといわれている。だが、ぼくにとっては、どこよりも、心がおちつく場所だ。少なくともあそこには、ぼくのタキシードに穴をあけようとするやつはいない。

［大丈夫か、ズキア？］

ぼくの右肩にとまってるコロンバが言う。さっきとおなじで、ぼくのことを心配してる感じはない。

［だから、あんな太った男を相手にするなと言ったんだ。］

……いや、言ってないよ、コロンバ。

ぼくは、一つため息をついてから答える。

「へいきだよ、コロンバ。すこしも痛くないし。」

ぼくは、夜空を見上げる。ネオンで赤く染まった夜空に、星は光っていなかった。


……あれ？

寝ころんだ目に、灰色の天井が見える。四本ある蛍光灯の一つが、チカチカと点滅してる。

ここ……ぼくのアパートの部屋じゃない。

「気がついた？」

うっとうしそうな声がした。

上半身をおこすと、ボロボロのスチールデスクの前にすわった女が、あきれたような目で、ぼくを見ている。腕まくりした白衣に、波立つ髪。顔の半分以上をかくす黒いサングラス。

女医のズユだ。

赤いくちびるがひらいた。

「気がついたのなら、はやくでてってくれないかしら。あなたみたいな患者に診察用のベッドを占領されると、一般の患者が迷惑するの。」

「ぼくは、一般の患者じゃないのか？」

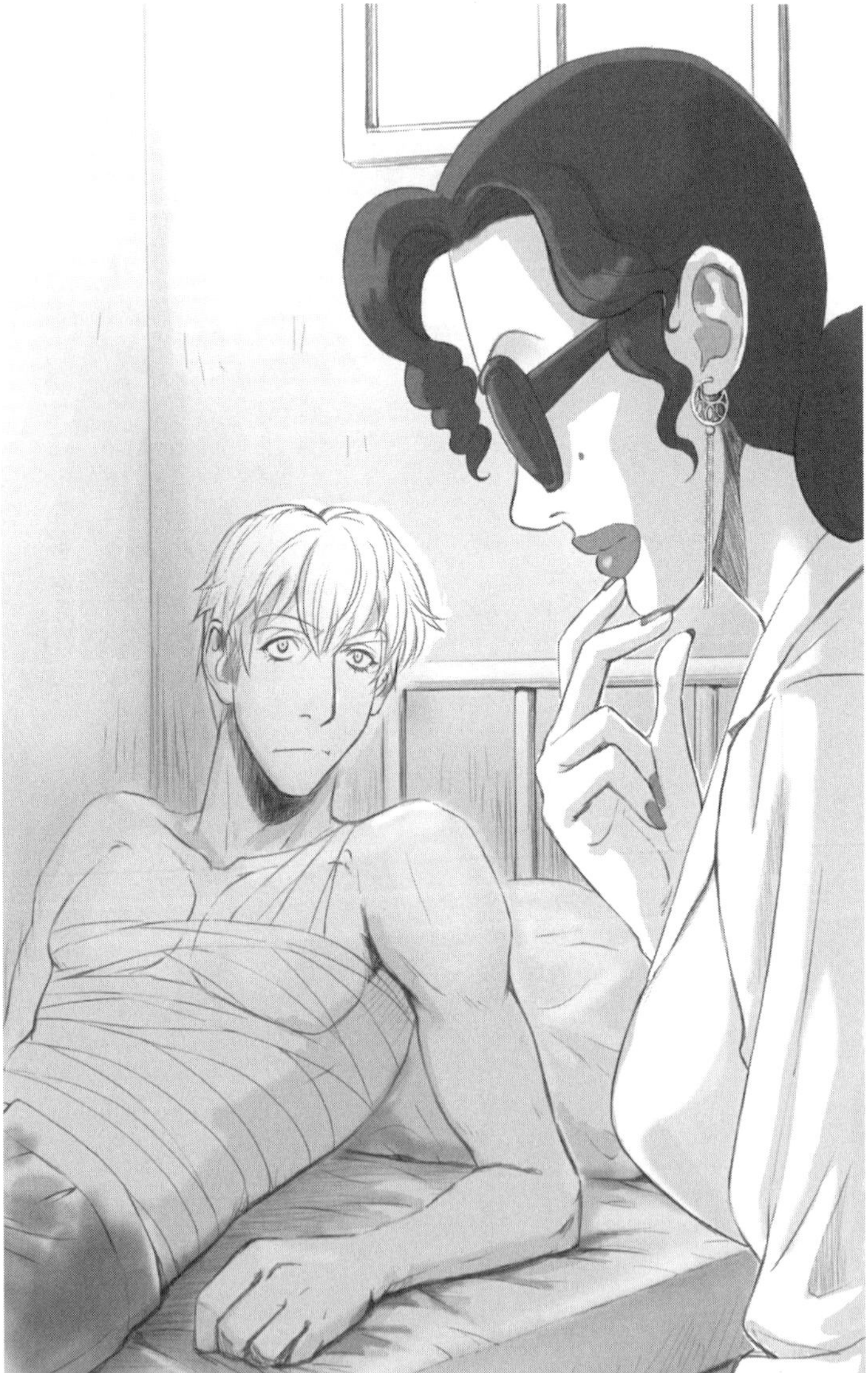

「麻酔なしで腹部の縫合《ほうごう》をしても、安らかにねむってるようなやつに、〝一般〟という言葉は使えないのよ。」

ぼくは、自分の体を見る。

裸の上半身、腰から胸にかけて、包帯がグルグルまきにされている。そして、タキシードのズボンは、血の色でどす黒く染まってる。

このようすから考えて、出血多量で意識をなくし、女医のところへはこびこまれたってのが正解だ。

コロンバはいない。ズユが苦手なコロンバは、ぼくが診療所にかつぎこまれるまえに、逃げたんだろう。

「治療については、礼を言うよ。でも、麻酔を使わずに手術をするのは、医者としてはどうかと思うけどね。」

ぼくは、ベッドからおりて、かべにかけてある上着を羽織った。

「麻酔薬も高いのよ。あなたみたいな痛みを感じない人間に使うほど、この診療所に余裕はないの。」

言われてみたら、そのとおりだ。

「わかったよ、女医。あんたの言ってることは正しい。」

「あたくしの名は、ズユ。ちゃんとズユ先生と呼んでね。」

彼女が、黒いサングラスをぼくのほうにむける。

ロシア人のズユ。彼女が、このオーバーハング・ストリートに流れてきたのは昨年のことだ。いつも黒いサングラスをかけたズユ。ぼくは、その素顔を見たことがない。医者を名乗ってるが、ほんとうかどうかはわからない。オーバーハング・ストリートの連中はありがたがってるが、ぼくは、その医療技術を信用してない。

どうせ、この裏通りへ流れてきたのだって、医療ミスで患者を殺したりしたのだろう。でなきゃ、こんなところへ住みつくはずがない。それとも、意外に凄腕《すごうで》の医者なのかもしれない。どんな難病も奇跡の腕で治してしまうんだ。でも、医師免許をもっていないため祖国を追われた
――あれ？　こんなコミックを読んだことがあるぞ。

……いや。これ以上、彼女の過去について想像するのはやめよう。

ぼくだって、ふれられたくない過去はある。多かれ少なかれ、このオーバーハング・ストリートにいる連中は、思いだしたくない過去をもっている。

そういう意味で、ぼくはズユに親近感をもっている。

ドブネズミは、ドブネズミ。ドブネズミに、宮殿ぐらしは似合わない。このオーバーハング・ストリートこそが、ふさわしい。

ぼくは、上着の前をあわせて、腹にまかれた包帯をかくす。

そのようすを見て、ズユがきいてくる。

「コロンバは？　あなたのところから、とうとう逃げだしたの？」

「先にアパートに帰ったんだと思うよ。」

ぼくの返事を聞いて、ズユが肩をすくめる。わざわざ、コロンバがズユを苦手にしてるなんて、言わなくてもいいことだ。

「世話になったな。これで帰らせてもらうよ。」

「一週間は、安静にしてなさい。痛みはないから動けるんだろうけど、へたに動くと、傷口がひらくから。それから、お酒もダメ。血行がよくなると、血を噴くわ。あと、この化膿《かのう》どめを、一日に二回飲みなさい。」

白い紙袋に入った薬を、ズユがわたしてくれた。

「なにからなにまですまないな。」

「気にすることないわ。ケガで苦しんでる——あなたの場合は、苦しんでなかったけど——人をたすけるのは、医者としてあたりまえのことだから。」

サングラスの下で、ズユがほほえんだ。

そのとき、ぼくは上着のポケットがやけに軽いことに気づいた。

「ポケットに、カジノのチップが入ってなかったか？　かなりの金額があったと思うんだが——。」

「気にすることないわ。医療行為への報酬として、ちゃんと受けとったから。対価をはらうのは、資本主義社会ではあたりまえのことでしょ。」

「…………。」

ぼくは、ズユに仲間意識をもっている。でも、なんともいえないモヤモヤしたものがおなかにあるのも、事実だ。

「それは、おなかを刺されたからよ。」

ズユが言うが、はたしてそうだろうか？

ぼくは、複雑な気分で、ズユの診療所をでた。


ラスベガスといえば、カジノの都として知られている。二十四時間、ねむらない街。多くの者が一獲千金の夢をもって集い、夢やぶれて去っていく街。

砂漠にかこまれ、夏は死にたくなるくらい暑く、冬は信じられないくらい冷えこむ。

ぼくの住むオーバーハング・ストリートは、ラスベガスのはずれにある小さな通りだ。

表通りが華やかなラスベガスだとすると、この裏通り――オーバーハング・ストリートは、まさに砂漠だ。かわいた風が吹く、砂の世界……。

むかしから、この通りには魔女が住むといわれている。人の形をしてはいるが、人の心をもっていない魔女。その魔女が、いまでもこの暗くてせまい裏通りを支配しているそうだ。

だから、ふつうの人は、ここに住もうとしない。いま、オーバーハング・ストリートに住んでるのは、人に言えない過去をもったやつか、社会から捨てられたようなやつばかり。

よそ者は、オーバーハング・ストリートに近づかない。

道に迷った観光客が、たまには入りこんだりするが、身ぐるみはがされ砂漠にほうりだされるだけだ。

かわいそう？　――命をのこしてやってるだけ、慈悲深いと思うけどね。

ここが観光ガイドブックに紹介されるときは、たったの一文。『けっして近づくべからず。』

――それだけだ。

だけど、ぼくはこの裏通りが気に入っている。

ほかの場所では、思い知らされること——おまえなんか、生きてる値打ちがない！　という視線が、ここにはない。なんてったって、生きてる値打ちのないやつばかりだから。

そうさ、ドブネズミには、ドブネズミの仲間がいるんだ。

そんなことを考えてると、ぼくの右肩に白いものが舞いおりる。コロンバだ。

「治療はおわったのか？」

「ああ。診察代として、かなり取られたけどね。」

「ふむ……。まあ、しかたないな。」

ぼくは、うなずく。たしかに、ズユに診てもらわなかったら死んでいたかもしれない。そう思ったら、診察代もおしくないじゃないか。

——あれ？

そう考えて、ぼくは首をひねる。ぼくは、死にたくないのか？　まだ、人生に未練があるのか？

これは、おもしろい。生きてる値打ちがないのに、死にたくはないんだ……。

「なにが、おもしろいんだ？」

肩をふるわせて笑うぼくに、コロンバがきいてきた。

ぼくの腹にナイフが刺さってから数日がすぎた。

ここまでは、ズユの言うことを聞いておとなしくしていた。ガールフレンドからの差し入れを食べ、薬も飲んだ。

傷は……もうよくなってるんじゃないだろうか。まったく、痛みを感じないというのは不便なものだ。治ったのかどうか、判断がつきにくい。

きつめに包帯をまく。血がにじんで、服に染みがつくのは、まっぴらだからね。

ぼくはアパートの部屋をでる。

ひさしぶりの外出だ。夕日のオレンジが、目にまぶしい。

行きつけのバーへむかって歩く。酒や食事が目的じゃない。

手もちの金がなくなりかけている。カモを見つけて、百ドルほどかせがないといけない。

オーバーハング・ストリートで、ぼくと大勝負するやつはいない。それでも、十人ほど相手にしたら、なんとか百ドルにはなるだろう。

そんなことを考えながら歩いてると、路地から声をかけられる。

「ズキア、もうケガ治ったの？」

「大丈夫？」

「マフィア相手にイカサマしたら、殺されるよ。」

「ねぇ、ぼくにもイカサマ教えてよ。」

口々に言いながら、かけよってくる子どもたち。身よりがなく、教会に住んでる子どもたちだ。

年齢も性別も人種もさまざまな子どもたち。共通してるのは、ぼくとおなじ——このオーバーハング・ストリートの外では、とても居心地の悪い思いをするってことだ。ちがいは、この子たちには、まだ未来があるってこと。

子どもたちがかけよってくるのに気づいたコロンバが、パサパサと飛びたつ。ズユだけじゃなく、コロンバは、子どもたちも苦手としている。

子どもたちが、ぼくを取りかこむ。ぼくは、足元の小石をひろい、子どもたちによく見えるようにして、右手に二個にぎった。

「さぁ、ぼくはいま、小石を何個にぎってるでしょうか？」

「二個！」

子どもたちがいっせいにさけぶ。

「なにを賭ける？」

そうきくと、鉛筆やキャンディ、ＮＢＡの選手カードなど、口々に答える。

ぼくは、右手をひらいた。そこには、小石が三個のっている。

「はい、みんなの負け。」

わきおこるブーイング。気にせず、ぼくは、子どもたちからキャンディやカードを受けとる。

「子どもからまきあげて、心が痛まない？」

そうきかれて、ぼくは首を横にふる。

「賭けに負けたら、対価をはらう。とうぜんのことだ。それは、子どもだからといって、見のがしてはもらえない。」

がめついとか、大人げないという文句には、耳をふさぐ。

「ねぇ、ズキア。イカサマって、どうやってやるの？」

子どもたちのなかで、いちばん幼いニータがきいてきた。

ぼくは、その綿毛みたいな髪に手をのせて言う。

「イカサマなんて、おぼえないほうがいい。イカサマなんかやるやつは、ロクデナシだ。賭けは、いつも正々堂々とやらないとね。」

不思議そうな顔をするニータ。

「でも、ズキアはイカサマ師なんでしょ？」

……これには、苦笑いするしかない。

「そのとおり。だから、ぼくはロクデナシだ。ニータは、こんな大人になっちゃいけないよ。」

そう。ちがいは、この子たちには、まだ未来があるってこと。

「なんでだよ！　イカサマ知ってたら、強いやつに勝てるじゃないか。勝ったら、泣かなくていい。腹すかせてねむらなくてもいい。なんで、イカサマやっちゃいけないんだよ。」

ニータの兄のレンが言った。そのまっすぐな目が、ぼくを見ている。

ぼくは、彼になにも言いかえせない。だって、ぼくは、レンの言ってることが真実だってわかってるから。でも、子どもたちには、イカサマで生きていくような人生を送ってほしくないとも思ってる。

空を見上げて、子どもたちにため息がわからないようにする。そんなぼくを、雑居ビルの上から、コロンバが見おろしている。

「レンもニータも、いい子だな。」

子どもたちが去るのを見てから、コロンバがもどってきた。

ぼくは、うなずく。

「だが、いい子では、このオーバーハング・ストリートでは生きていけない。」

ぼくは、またうなずく。

そんなこと、コロンバに言われなくてもわかってる。


行きつけのバーは、オーバーハング・ストリートの奥——路地を入った行きどまりにある。

左右の建物にはさまれてるため、たおれずに建っているようなバー。もっとも、このオーバーハング・ストリートの建物で、完全に自立してる建物は少ない。

うす暗い店内では、カウンターの中でクラサがグラスをみがいていた。

お客は、テーブル席に二組いるだけだ。

「いらっしゃいませ。もう、お体のほうは、よろしいのですか?」

丁寧な口調できいてくるクラサに軽く手をあげ、ぼくはカウンターにつく。

なにも言わなくても、クラサが炭酸入りのミネラルウォーターを、ぼくの前においた。

「まだ、アルコールはよくないのではないかと思いまして。」

こんな言い方をされたら、カクテルをたのむわけにもいかない。ぼくは、笑顔をつくってミネラルウォーターのグラスをもつ。

「さすが、世界一のバーテンダー。客のことを、よく考えてる。」

「おそれいります。」

丁寧に白髪《はくはつ》をうしろになでつけたクラサが、頭をさげた。

年齢は五十歳くらいだろう。おちついた態度が、もっと年齢を感じさせる。

世界一のバーテンダーというのは、皮肉じゃない。この店にくる客は、みんなクラサを世界一のバーテンダーとしてみとめている。もっとも、このオーバーハング・ストリートは、世界一のバーテンダーには似合わない通りだけどね。

どうせ彼も、ぼくやズユとおなじ。家族の中で行き場をなくし、このオーバーハング・ストリートにきたんだろう。むかしは、銀行員か教師のような、堅い職業についていたと思わせる言動。カクテルをつくるという趣味が、いつのまにか仕事になってしまったって感じがする。

そう思うと、この老人が不憫《ふびん》に思え、敬老精神がふつふつとわきおこる。お年寄りは、たいせつにしないといけない。

「あと、ピーナッツをたのむ。」

コロンバの食事を注文する。クラサは、うなずくと、小鉢に入ったピーナッツをだしてくれた。

「ケガをされたのは、イカサマがばれたからですか？」

クラサの質問に、ぼくは指をチッチッチとふった。

「その言い方は、ひどいね。ぼくは、賭け師だぜ。イカサマなんかするわけないだろ。」

すると、背後のテーブル席から、くすくす笑う声がした。

「えらい言いわけやな。」

「自分のことが見えてへんのやろな。まるで、眼鏡をオデコにのせて『眼鏡はどこや？』て言うてるおやじみたいや。」

「イカサマ師なんてやめて、うちらとステージに立ったらええのに。」

「そしたら、トリオ漫才《まんざい》やな。」

この、マシンガンみたいに話す二人組は、ロシとロクだ。

ロシは、二十代半ば。やせて背が高い。ロクは、ロシより数歳若い。なのに、もうおばさん体型だ。

二人は、ＭＡＮＺＡＩ《まんざい》師《し》。ＭＡＮＺＡＩとは、東洋の島国に伝わる古典芸能だ。とくに、ＪＡＰＡＮ《ジャパン》のＹＯＳＨＩＭＯＴＯ《ヨシモト》州《しゅう》ではさかんだという。

これからステージがあるのだろう。ロシとロクは、金ラメの衣装にホットドッグのケチャップをつけないよう、気をつけて食事している。

ぼくが思うに、ロクは高級レストランの娘、ロシは見習いコックだったんじゃないだろうか？　恋仲になった二人を、ロクの父親はみとめようとしない。そこで二人はかけおちした。——こんなところだろう。

店にくる時間がちがうため、あまり二人とは話したことがない。こんな、けんかを売られるような言い方をされるおぼえはないいんだが……。

ぼくは、二人に体をむけた。

「相手にするんじゃない。」

右肩で、コロンバが言う。

ふだんのぼくなら、ロシとロクになにを言われても聞こえないふりをしていただろう。でも、そのときのぼくは、なんとなく荒れた気持ちだった。

「なにか言いたそうだな、ロシとロク。」

ぼくは、不快な気持ちが言葉にでないよう、気をつけて言った。

「気ぃ悪ぅしたら、堪忍やで。やけど、ズキアはんがイカサマ師なんてことは、みな知っとるやん。」

そう言って、ロクが、のこっていたホットドッグを口に押しこむ。

ぼくはフッと笑う。

「それは、ぼくにギャンブルで負けた連中が、言いふらしてるデマだよ。現に、ぼくは、いままでイカサマの証拠を突きつけられたことがない。」

「バレへんだら、イカサマちゃう——よう、あんさんが言うてることやね。」

そのとおり。そして、ぼくのイカサマは、いままで見やぶられたことがない。

「まあ、あんさんだけが見やぶられてへんと思てるだけかもしれへんけどな。」

まったく無礼なやつだ。

「だから、相手にするんじゃないって言ったろ。」

コロンバの言うとおりだ。ここは、おとなしくひきさがろう。

しかし——。

「あんさん、むかしはマジシャンやったんとちゃいますか？」

ロシの言葉に、ぼくの動きがとまった。

「相手にするな！」

コロンバが、ビシッと言った。

ぼくは、わかってるよというように、うなずいた。

ロシは、ぼくがだまってるので、かってにつづける。

「いや、フランスで興行しとるとき、何回か聞いたんや。天才的なマジシャンの話。ステージで大事故をおこし、見にきとった子どもらを、ようけ死なせてしもたイタリア人のマジシャン。イメージが、あんさんにかぶるんやけどな。」

ぼくは、表情をかえない。これぐらいのことで感情が表にでるようだったら、とても賭け師を名乗れない。

大丈夫。顔色はかわってない。汗もかいてない。鼓動もはやくなってない。ぼくは、いつもどおりだ。

「どうして、ぼくがそのマジシャンだと思うんだい？」

「あんさんも、イタリア人やろ。」

……それだけの理由か。ぼくは、ホッとしてロシに言う。

「このアメリカに、イタリア人なんて掃いて捨てるほどいるぜ。」

「ほいでも、あんさんほどカードをあつかうのがうまいイタリア人は、そうそうおらへんのとちゃいますか？」

「………」

ぼくは、大きく息を吸いこんだ。

「オーバーハング・ストリートに住む連中は、多かれ少なかれ、言いたくない過去をもってる。おたがい、それを探りあわないのが、ルールじゃなかったか？」

「初耳でんな。――っていうか、このオーバーハング・ストリートに〝ルール〟なんてもんがあるのにおどろきですわ。」

「ルールは、どんな世界にも存在する。あんたらも、プロモーターや客と乱闘さわぎをおこしてばかりで、漫才できる小屋がなくなった過去を言われたくないだろ。」

ぼくは、ほかの客から聞いていた、二人のうわさを口にする。

「………」

「おまえらの不幸は、格闘技の才能はあるのに、MANZAIの才能がないってことだな。MANZAI師を廃業してプロレスでもやったら、ブレイクするだろうに。」

「はっはっは！」

高らかな笑い声の二人。でも、その目が笑ってない。殺気が、二人の体をつつむ。

「やめておけ、ズキア。……ヤバイぞ。」

コロンバの忠告どおりだ。空気が、可燃性のガスにかわってしまったような気がする。ちょっとでも火花がおきたら、大爆発だ。

ぼくは、二人を見る。格闘術の天才コンビと痛みを感じない者の戦いだけは、さけたい。

それに、二人だって、ぼくとおなじだ。このオーバーハング・ストリート以外に、行くところがない。ドブネズミ同士で傷つけあっても、なにもいいことはない。

ぼくは、笑顔をつくると、二人に言った。

「冗談だよ、冗談。じつをいうと、ぼくはきみたちの漫才のファンなんだよ。こんど、舞台を見にいこうと思ってるんだから。」

「………」

二人の殺気が、すこしだけ和《やわ》らいだ。

潮時だ。ぼくは、ミネラルウォーターを飲みほし、カウンターにコインをおいた。ギャンブルでかせぐという予定がかわることになるが、今日のところはアパートに帰ろう。

笑顔でロシとロクに言う。

「今夜のステージがうまくいくことを祈ってるよ。」

「あんさんにも、ギャンブルの女神《めがみ》がほほえみますように。」

二人が、すこしひきつってるけど、笑顔を返してくる。

これでいい。むやみに敵をつくるやつは、長生きできない。それは、このオーバーハング・ストリートにかぎったことではない。

ぼくが店をでるとき、入り口近くの席で編み物をしていたシスターが、ぼくにほほえむ。

教会のシスター。年齢は、六十歳をこえてるだろうか。いつもおちついた雰囲気をまとっているが、こういう老人にかぎって、壮絶な過去をもっているものだ。案外、シスターだって、若いときは戦場で大活躍した女兵士かもしれない。あまりにたくさんの命をうばったため、その償いにシスターになったというのは、うなずける話だ。

彼女の横には、白いシャツを着た十代半ばの少年がすわってる。教会に住む子どもたちのなかで最年長の少年——名前は、緋仔《ひこ》だ。緋仔は、ぼくとロシたちの会話が聞こえていたのかいなかったのか、おとなしくサンドイッチを食べている。

育ちざかりの緋仔には、教会の食事だけではたりない。そのため、シスターはときどき緋仔を店につれてくるそうだ。

「緋仔、うまいか?」

彼は、ぼくの言葉になんの反応もしない。ほほえんでサンドイッチを食べてる姿は、まるで空から舞いおりた天使のようだ。

そして、自分はなにも食べず、そんな緋仔を見まもっているシスター。

帰ろうとするぼくに、シスターが言った。

「一日もはやく、あなたのケガが治るように、神に祈ってますからね。」

「そいつは、どうも——。」

ぼくは、軽く頭をさげる。

神か……。オーバーハング・ストリートに住むようになっても、神を信じられるとはね……。

まったく、うらやましいものだ。

あと、もう一つ、うらやましく思えることがあった。年老いたシスターは、ぼくよりも先に、人生とお別れすることができるんだ。

すさまじいさけび声が聞こえ、ぼくは目をさました。それが、自分の口からでた声だと気づくのに、数秒かかった。

イヤな汗が、ベッドに、ぼくの形をうつしている。

すすけた天井を見る。

イヤな夢を見たのは、空腹のためか、それともバーでロシの話を聞いたからか……。

——マジシャン……。

その単語が、ぼくの胸につまってる。

——もう、忘れられたと思ってたのにな……。

さけび声が、耳にのこってる。いや、それは自分の声なのか？　事故にあった子どもたちの声じゃないのか？

［大丈夫か、ズキア。］

右肩で、コロンバが言った。それは、いつもとちがって、心の底から心配してくれてる口調。

ぼくは、だまってうなずく。そして、ベッドサイドのテーブルに手をのばし、カードの山をもった。

シャッフルをくりかえしてから、いちばん上のカードをひっくりかえす。——ハートのA。つづいて、ハートの2、ハートの3……。

ぼくは、またシャッフルをくりかえす。

それでも、カードはAから順番にならんでいる。

——腕は落ちてない。でも、ぼくはもうマジシャンじゃない。

マジックの師匠に言われた。マジシャンは、カードをマジック以外に使わないと——。

でも、いまのぼくは、カードをマジックに使ってない。イカサマギャンブルに使っている。

だから、ぼくはマジシャンではない。

《Aのズキア》——それが、いまの名前だ。

なにもかもなくしたと思っていたが、この名前と命がのこっている。それでじゅうぶんだ。

「つらいか？」

コロンバの質問に、ぼくは首を横にふる。

そう、ぼくはまだ生きている……。


それからの三日間。

ぼくは、部屋にこもっていた。

水以外、口にしてない。

たずねてくるガールフレンドたちにも、居留守を使った。

体重は落ちたが、傷はすっかり治ったと思う。ほんとうはズユのところへ行って診てもらわないといけないのだろうが、行きたくない。

かわりに、クラサの店へ行こう。いまのぼくには、アルコールがなによりの薬だ。

冷たい光を放つ青い月。表通りの喧噪《けんそう》も、ここまではとどいてこない。

もうすぐ日付がかわろうとしてる店内には、おおぜいの客がいた。そのわりに、みんな静かに飲んでいる。

入り口近くの席では、シスターが編み棒を動かしている。その横には、緋仔がおとなしくすわっている。それはまるで、等身大のフランス人形のようだ。

「やぁ、緋仔。夜食を食べにきたのか?」

話しかけるぼくのほうを、緋仔は見た。しかし、なにも言わない。彼の前には、手つかずのサンドイッチの皿。

ぼくは、カウンターにつくと、クラサに、なにか食べるものとアルコール度数の高いカクテルをたのんだ。

「しばらく、アルコールはダメだと言わなかったかしら?」

カウンターのはしから、ズユの声。

ぼくは、軽く肩をすくめてから、彼女のとなりに移動した。コロンバは、カウンターのうしろの棚に移動する。

「もうケガは治ったよ。それに、女医の言いつけを守って、今日まで酒は飲んでない。神に誓ってもいい。」

「神を信じてない者が、その名を軽々しく口にするものじゃないわ。それから、あたくしを女医と呼ばないで。」

「はいはい……。」

クラサがだしてくれたグラスに、口をつける。

おいしそうにカクテルを飲むぼくを見て、女医が言った。

「まったく丈夫な人ね。そのたくましさを、あの二人にわけてあげてほしいわ。」

〝あの二人〟……？

ぼくは、サングラスをかけたズユの視線を追う。

テーブル席に、ロシとロクが、うつむいてすわってる。なんていうのか、そこだけ空気の重さがちがうようだ。

ぼくは、重い空気をかきわけるようにして、二人の席に近づいた。

「ずいぶん、盛りさがってるじゃないか。出演契約でも、打ちきられたみたいだぜ。」

「あんさん、なんでわかったんや！」

おどろく二人。図星だったか……。

「きのう、うちらのBATTLE《バトル》　MANZAI《マンザイ》にまきこまれて、三人のお客さんがケガしたんよ。まえにもおなじようなことがあったもんで、劇場の支配人がクビやちゅうてきて……。」

肩を落とすロク。おばさん体型のロクがしんみりしてると、なんだか調子が狂う。

ぼくは、きいた。

「不勉強で申しわけないのだが、バトルマンザイってなんだ？」

「日本のYOSHIMOTOへ行ったときに、〝ドツキ漫才〟という武道を見つけたんよ。なにげないチョップやキックに、ごっつ威力のある格闘技で、技が決まると相手が舞台のはしからはしまで吹っとぶすごさなんや。」

「………」

それは、ぼくの理解をこえた世界だった。

「BATTLE　MANZAIは、ドツキ漫才を発展させた究極の格闘パフォーマンス。全米が泣く予定やったんやけどな……。」

しんみりした口調のロシ。

ぼくは、その肩をポンとたたいた。

「そう気を落とすこともないさ。ラスベガスに、劇場がどれだけあると思ってるんだい？　二人のパフォーマンスと契約したいって劇場が、きっとあるよ。」

「なぐさめてくれるんや……。あんさん、ほんまはええ人なんやな。」

ロシが、涙でうるんだ目で、ぼくを見る。でも、またすぐに肩を落とす。

「そやけど、あかんねや。もう全米の劇場で、わてらはブラックリストにのっとる。契約してくれる劇場は、あらへん……。」

「なにもアメリカにこだわらなくてもいいじゃないか。ほかの国へ行っても。——どうせ、かけおちしてるんだろ？」

「かけおち？」

首をひねる二人。

「あれ？　二人は、高級レストランの娘と見習いコックじゃなかったっけ？　身分ちがいの恋を反対され、かけおちして漫才してるんだと思ってたんだけど……。」

ぼくの説明に、二人はみょうな顔をする。どうも、ぼくの思いちがいだったようだ。

ロクが、悲しそうに言う。

「とにかく、うちらは英語しかしゃべれへん。英語が公用語になってる国で、うちらが入国できる国は、ないんよ。」

「どうしてないんだ？」

すると、二人はそろって遠い目をした。

「いろいろあったんよ。」

いったい、どれだけ悪いことをしてきたんだ！

すると、カウンターの中から、クラサが言った。

「よろしければ、この店で漫才をしませんか？　舞台はありませんが、いくつかテーブルをかたづければ、スペースはできると思います。」

「ほんまか！」

二人の目が、かがやいた。

そのとき、ドアがひらいた。

——なんだ？

異様な気配に、店内の客がいっせいにドアのほうを見た。

ドアのところに、背広姿の男が立っていた。年齢は四十歳くらい。中肉中背で、これといって特徴がないように見える。

ただ、男のまとっている空気というか雰囲気……。とても邪悪《じゃあく》なにおいのするもの。それが、店内にいる客たちから会話をうばっていた。

「まだ閉店時間にはなってないはずだが――。」

男が、細まきのタバコをだしてくわえる。すかさず、背後からライターをもった手がのびた。暗くて気づかなかったが、男の背後に大きな肉のかたまりが立っている。

「失礼しますよ。」

男がユラリと店内に入る。まるで、やわらかいゼリービーンズのような動きだ。

カウンターにつくと、クラサにむかって言った。

「わたしの名は、ホッズ。このうしろにいるのは、茶魔《ちゃま》。どうぞ、お見知りおきを――。」

男――ホッズが、背後にいた肉のかたまりを紹介した。

茶魔と紹介された男は、短くきった髪と日焼けした肌。この気温で、上半身はぴったりしたタンクトップだけ。

「よろしくねン！」

茶魔は、バチンと音がでそうなウインクをクラサに、熱い投げキッスをぼくら客にむかってほうった。何人かの客が、投げキッスをよけそこね、その場にたおれた。……茶魔、おそろしいやつ。

コロンバが、ぼくの肩にもどる。

「どう思う？」

「敵か味方かもわからない。……だが、気をぬくな。ただ者じゃないことだけは、たしかだ。」

ぼくは、コロンバの言葉にうなずく。たしかに、ただ者じゃない、とくに茶魔は。

「ご注文は？」

クラサが、ホッズにきいた。

「そうですね……。」

ホッズは店の中を見まわし、

「このオーバーハング・ストリートを、いただきましょうか。」

タバコの煙を吐きだした。

ザワリと、店の空気がゆれる。

おちついた声で、クラサが答える。

「あいにくですが、うちのメニューに、そのようなものはありません。」

「いやいや。わたしは、バーテンダーのクラサに言ってるのではありません。消音器《サイレンサー》クラサに注文してるんですよ。」

消音器クラサ——その言葉に、クラサの体が、一瞬ふるえた。

「わたしのオーダーにこたえてくれますか?」

「…………」

クラサは、なにも言わない。

細まきのタバコをカウンターでもみ消すホッズ。

「それじゃあ、かってにもらっていくことにしましょう。」

「笑えない冗談ね。」

そう返したのは、ズユだ。グラスをもって立ちあがると、中身をホッズの頭の上からかけた。

そのようすをニヤニヤと見ている茶魔。

「シャワーは、すませてきたんですがね。」

ハンカチを取りだすホッズ。

ズユにむかってきいた。

「われわれのデータにまちがいがなければ、あなたは幻術師《げんじゅつし》のズユさんですね。」

うなずくズユ。そして、サングラスに手をかけた。

ホッズは、肩をすくめると言った。

「むだですよ。わたしには、視力がありません。いくらあなたが魅惑の瞳をもっていても、わたしに術をかけることはできません。」

盲目！

ぼくは、ホッズの目を見た。たしかに、両目に白い義眼が入っている。でも、いままでの動きは、目が見えない人間のものじゃない。

「戦場で視力を失ったわたしは、生きのこるために、のこった感覚をみがきこみました。常人から見たら、わたしが超能力者に思えるでしょうね。」

ホッズが、ぼくのほうへ顔をむけて言った。まるで、ぼくが考えていたことを読みとり、答えたみたいだ。

「このオーバーハング・ストリートには、魔女の伝説があるそうですね。その魔女は、幻術師のズユさん――だから、盲目のわたしが、任務にえらばれたのでしょう。」

ホッズが、カウンターにもどる。

「さて、ビジネスの話にもどりましょう。じつは、ある企業が、オーバーハング・ストリートの土地をほしがってます。〝企業〟といえば聞こえはいいですが、裏にいるのは、マフィアです。」

マフィア――。第二次世界大戦後、ホテルのカジノがもうかることを知ったマフィアは、つぎつぎとホテルをラスベガスに建てた。しかし、カジノに対する当局の取り締まりがきびしくなるにつれ、マフィアはホテルの経営権を手放していった。

その後も、州法などがきびしくなり、マフィアはラスベガスから完全に手をひいたと思っていたのに……。

「どの世界にも、名をあげようとむちゃをする連中はいます。今回、わが組織に依頼してきたのは、新興マフィアです。やつらは、いままでだれも手をださなかったオーバーハング・ストリートを手に入れ、州法違反ギリギリのカジノを建設するつもりです。」

ホッズの言い方には、依頼主を敬うという気持ちは、まったく感じられない。

「なぜいままで、どのマフィアもオーバーハング・ストリートに手をださなかったのか、知能のたりない彼らには、想像できないのでしょう。しかし、どのような依頼でも、わが組織はことわりません。わたしと、茶魔の率いる第四部隊が派遣されたわけです。」

自分の名前がでたので、また茶魔がウインク。不幸にも、三人の客が、そのウインクの餌食《えじき》になった。

「命がおしかったら、一週間以内に立ちのいてください。」

ホッズが立ちあがった。

「われわれは、フラミンゴホテルにいます。用があったら、たずねてきてください。」

「立ちのき料でも、くれるんか？」

ロシがきいた。

「その声は、ロシですね。なるほど、オーバーハング・ストリートには、BATTLE MAN ZAIのロシとロクがいる——情報どおりです。」

満足そうにほほえむホッズ。

イヤな笑いだ。もし死神が笑うとしたら、こんなふうにほほえむんだろうな……。

「あいにく、立ちのき料という項目は、今回の予算編成に入ってません。それとも、力ずくでうばいとりますか？」

ホッズが、義眼をロシとロクにむけた。

二人は、動けない。まるで、見えないロープでがんじがらめに縛られたようだ。

ほほえむホッズ。

「賢明な判断です。それから、われわれと話しあいをしようとしても、むだです。そういう部門の者は、今回の仕事につれてきてませんから。」

「…………」

「最近、経理や営業の仕事が多く、体がなまってるんですよ。ぜひ、手に入るだけの武器をもってのお越しをお待ちしています。」

そして、クラサ、ズユ、ロシとロクのほうへ、顔をむけた。

「消音器クラサ、幻術師ズユ、ＢＡＴＴＬＥ　ＭＡＮＺＡＩのロシとロク——ぜひ、あなたたちにはきていただきたいですね。茶魔をはじめ、第四部隊の連中は、あなたたちと戦いたくてしかたないようですから。」

すると、茶魔が不満の声をあげた。

「あぁら、あちしは、そんな野蛮なことは思ってないわよ。」

耳にキンキンひびく、甲高《かんだか》い声だ。

「だって、あちしに勝てるのは、あちしより美しい者だけなの。」

——ということは、いまここにいる全員が、茶魔に勝てることになる。

そう思ったのは、ぼくだけじゃないようだ。みんなの、ブンブンと首を横にふる音が店内にひびく。

そんなことを気にしてない茶魔は、うっとりした口調でつづけた。

「目の見えないホッズにはわからないでしょうが、この店内に、あちしより美しい者はいないわ。」

この言葉に衝撃を受けて、店内の客が、四人たおれた。

ぼくは、この場にいる者のなかで最も美しいと思う者――緋仔を見た。彼は、まるで茶魔の言ってることが聞こえてないかのように、静かにすわっている。

「それでは――。」

店からでようとするホッズと茶魔。

「お待ちください、お客様。おつりを、お忘れですよ。」

クラサの言葉に、二人がふりかえる。

つぎの瞬間、クラサが右手をのばした。

……なにがおきたのか、わからなかった。

ドアのところで立ちどまったホッズが、ハンカチを顔の前でふったのだけが、かろうじてわかった。

「おつり、たしかに受けとりましたよ。」

ホッズが、ハンカチをひろげる。そこに、親指大の氷のかたまりがのっていた。

「こんどは、ちゃんと銃弾形に削ったおつりをいただきたいものですね。」

そして、ホッズと茶魔はでていった。


「むかしの話ですよ。」

おだやかな口調で、クラサが言う。

「わたしは、世界一のバーテンダーの元で修業をしていました。そのとき、師匠が手なぐさみに教えてくれたのが、如意珠《にょいしゅ》です。」

如意珠……？　はじめて聞く言葉だ。

「なんなん、その如意珠って？」

ロクの言葉に、クラサが氷の粒を右手にもつ。

そして、手をにぎると――ビシッ！

親指が、手につつんだ氷の粒をはじいた。一発、二発、三発……、氷の粒は、銃弾のようにかべにめりこむ。

「これが、如意珠です。本来は、小石や鉄球を指ではじく技なのですが、わたしは氷の粒を使ってます。氷を弾丸の形に削って使えば証拠はのこりませんからね。」

「証拠って……なんの？」

ぼくがきくと、クラサがあっさり答えた。

「殺人ですよ。」

「…………」

「不思議なものです。わたしは、如意珠を自在にあやつりたかっただけなんです。だれよりも――如意珠を教えてくれた師匠よりも、はやく撃つ。それだけをめざしていたのですが……。」

不意に、クラサが笑った。

「わたしは、自分の如意珠が世界一はやいことを証明するために、いろんな人と戦いました。ナイフ投げ、拳銃使い、居合《いあい》の達人――。けっして、その人たちの命をうばうことが目的じゃなかったのです。なのに……。いつのまにか、わたしには消音器《サイレンサー》という異名がついていました。」

「…………」

ぼくは、なにも言えず、カウンター席にすわっていた。クラサは、家族の中で居場所をなくした孤独な老人――そう思ってたんだけどな。

クラサが、ズユに言う。

「しかし、ズユ様がうわさで聞いていた幻術師とは、思ってませんでした。」

「あら、どんなうわさかしら？」

すこしうれしそうなズユの口調。

「相手の精神を破壊できるほどの幻術師。その者の瞳に見つめられると、みずから死をえらぶと……。」

ため息をつくズユ。

「まるで、メドゥーサね。あたくしの美しさについては？」

「残念ですが――。」

クラサが、丁寧に頭をさげる。チッと舌打ちするズユ。

「考えてみたら、とうぜんね。あたくしの素顔を見て、生きのこってる人はいないんだから。」

肩をすくめるズユ。

ぼくは、ズユにきく。

「医師免許、もってる？」

彼女は、だまって首を横にふった。ぼくの見立ては、部分的にあってたようだ。

「クラサも女医先生も、すごい人やったんやな……。」

感動した声のロク。

クラサが、首を横にふった。

「お二人のことも、わたしは知ってますよ。あいにく、漫才師としてではなく暗殺者としての、ご高名ですけどね。たった二人で、いくつもの組織を壊滅させたと——。二人が戦ったあとは、まるで嵐が通りすぎたようだと聞いてます。」

「それは、あいつらがギャラのピンハネをしたりするもんでやな……。おかげで、うちらが出入りできる劇場は、どんどんなくなってもうた。」

ロクが、寂しそうに言った。

しょっちゅう、プロモーターや客と乱闘さわぎをおこすといううわさは、聞いていた。しかし、二人のBATTLEは、そんなレベルじゃなかったんだ。

ぼくは、さっきからなにも言わず、みんなの話を聞いていた。いや、言わなかったんじゃない。言えなかったんだ。

なぜ、なにも言えなかったのか？　——ぼくは、自分にきく。

みんなの話が、ショックだったから。――ぼくの中で、だれかが答える。

みんなが暗殺者だったのが、ショックだったのか？

そうじゃないだろ。

ぼくの中で、だれかがぼくに指を突きつける。

ショックだったのは、なんとなく仲間意識を感じていたクラサたちが、自分とはちがう世界の人間だったってわかったからだろ。

足元が、ぐらつくのを感じる。

《Aのズキア》――この名前を、ホッズは口にしなかった。

やつが言ったのは、消音器クラサ、幻術師ズユ、ＢＡＴＴＬＥ　ＭＡＮＺＡＩのロシとロク。

「おもしろいですわね。」

その声が、ぼくを現実にひきもどす。

シスターが、編み棒を動かしながら、ひとりごとのようにつぶやく。

「消音器クラサ、幻術師ズユ、ＢＡＴＴＬＥ　ＭＡＮＺＡＩのロシとロク――みなさん、立派な二つ名をおもちですこと。」

……彼女の言葉の中にも、ぼくはいない。

「裏の世界の有名人が、こんなに集まるなんて、そうそうあるもんじゃありませんわ。わたしが小娘だったら、サインをせがんでるところです。」

「…………」

「でも、あのホッズと茶魔も、負けずおとらず、有名なんですよ。」

このとき、ぼくは不思議に思った。シスターは、なぜ、そんなことを知ってるんだ？

「あのホッズは、目が見えなくなるまえは、アンダーグラウンドの格闘技チャンピオンでした。戦績は七十四勝。」

「負けは？」

ロシがきいた。

ほほえむシスター。

「非合法の賭けの対象として、アンダーグラウンドでの格闘技は存在します。そこに、判定での勝敗はありません。負けるということは、死を意味します。」

……つまり、一度も負けなかったというわけだ。

「うちら……そのアンダーグラウンドのバトルにでられるかな？」

ロクがつぶやいた。

老婆は、首をかしげる。

「どうでしょう……。あなたたちが強いのはわかりますが、世界には、想像をこえる力をもった者がいるのですよ。」

「………」

ロシとロクは、目をふせる。

自分たちでは、ホッズに勝てない。――なにより二人がいちばんわかってるのだろう。

「その後、ホッズはアンダーグラウンドの格闘技から追放されました。客が彼の勝ちにばかり賭けるので、賭けが成立しなくなったのです。追放された彼は、傭兵《ようへい》として中東に行きました。そこで彼は、視力を失ったのです。」

話しつづける彼女の横では、緋仔が、あいかわらず人形のようにすわってる。

「ホッズのもってるハンカチは、ケプラー繊維で編まれたもの。そのハンカチは、銃弾もナイフも、からめとります。」

「弾丸形に削った氷を使えば、わたしの如意珠は、拳銃よりもはやいですが――。」

「それでも、通用しないでしょうね。」

クラサの言葉を、否定するシスター。

だまりこむクラサ。

シスターが、店にのこった客を見る。

「さて、ホッズは、一週間以内に立ちのくように言いました。あなたたちは、どうしますか？」

「…………」

だれも答えない。

いや、一人いた。

「答えは、一つしかないだろ！」

さけぶような声。

だれだ、だれが言ってるんだ？

「〝逃げる〟に決まってるじゃないか！」

この声——ぼくだ……。さけんでるのは、ぼくだ。

「どうしたんだ、みんな。なぜ、答えない？　まさか〝戦う〟なんて言うんじゃないだろうな。シスターの話、聞いてたんだろ。クラサたちが強いのは、よくわかった。それでも相手にならないくらい、ホッズたちは強いんだろ。」

ぼくの声が、店内にひびく。

でもそれは、まるでジュークボックスから流れるオールディーズみたいなもので、だれも集中して聞いちゃいない。

「やめておけ、ズキア。」

コロンバが言うけど、ぼくは耳を貸さない。そんなぼくをだまらせたのは――。

「ご安心ください。ズキア様に、いっしょに戦ってもらおうとは思っておりません。」

クラサが、いつもの口調で言った。

この言葉に、ぼくは怒ったか？　見くびられたと思って、怒ったか？　答えは、ノーだ。ぼくは、安心したんだ。

だれに言うでもなく、クラサがつぶやく。

「バーテンダーの仕事は、カクテルを用意するだけではありません。お客様が快適にすごせるよう、店をととのえるのもたいせつな仕事です。その店を明けわたせなどという輩《やから》は、力ずくで排除させていただきます。」

「うちらもおなじや。」

ロクが言う。

「うちらにとって、漫才は命や。それをじゃましようとする者とは戦う。――かんたんなことや。」

ロクがロシを見た。ロシも、力強くうなずく。

「勇ましいことね。」

ズユが、髪をかきあげる。

「あいにくだけど、あたくしには、このオーバーハング・ストリートに祖国ほどの思い入れはないわ。ほしいと言うやつがいるのなら、かってにもっていけばいい。」

「…………」

「ここで、失礼するわ。帰って荷造りしないとね。」

店をでていくズユ。だれもとめる者はいない。

ぼくも、席を立つ。

「まったく、かしこいのは女医先生だけだな。みんな、命がおしくないのか？」

「あんさんも、わからん人やな。漫才は、命。その命を守るために戦うって、言うたやんか。」

ロシに言われるが、納得できない。

「死んだら、それでおわりじゃないか。」

「生きとっても漫才でけへんのなら、死んどんのとおなじや。あんさんには、命がけで守らなあかんもんがないで、わからへんのやろな。」

ロクの言葉が、突きささる。

……肉体的な痛みを知らないぼくが、胸の痛みを感じる。

ぼくにとって、命がけで守るもの……。

ない。

マジックを捨てたぼくにとって、守らなければならないのは命だけだ。ほかに、なにもない。

「きみたちが、うらやましい。ぼくには、もう守るものは命しかない。だから、失礼させてもらうよ。きみたちは、せいぜいがんばって、命よりもたいせつなものを守ってくれ。」

ドアをあけるぼくに、シスターがきく。

「もし、クラサさんたちが、いっしょに戦ってほしいと言ったら、ズキアさんはどうされますか？」

「…………」

「一人ずつでは、とても勝てません。でも、あなたたち全員がチームを組めば、おそらく八割以上の確率で勝つことでしょう。」

「…………」

「どうされますか?」

答えるのに時間がかかる。右肩で、コロンバが、ぼくを見てるのがわかる。

ぼくは、コロンバにむかって一つうなずき、言った。

「辞退するよ。ぼくは、ただのイカサマ師。クラサたちとはちがうんだ。」

ぼくは、ドアを閉めた。


アパートにもどり、着がえもせず、ベッドに飛びこむ。

「どこへ行く?」

窓のところにとまったコロンバがきく。

ぼくには、答えられない。

行くあては……ない。

「どこへ行ったとしても、コロンバはいっしょだよ。」

こんどは、コロンバからの返事がない。

「コロンバ……?」

「……ズキアには、自分よりもロシたちのほうが必要なのかもしれんな。」

コロンバのつぶやきが聞こえた。

「コロンバ……。」

それっきり、もうなにも聞こえない。

うん、もう考えるのはやめよう。

今夜は、いろんなことがありすぎた。とにかく、いまはねむろう。


通りから聞こえてくる音で、目がさめた。

……なんだ？

足音、さけび声、物のぶつかる音――。

窓をあけると、空気の中に煙のにおい。

火事だ！

通りにでる。みんなが走っていく方向は――教会だ。

人波をかきわけ、走る。教会の前では、子どもたちが信じられないという顔で、燃える建物を見ている。

木がはぜる音、石の割れる音、噴きあがる黒煙。ぼくの髪を、熱風がなでる。

「どうしたんだ？」

ぼくは、レンにきく。レンは、小さなニータの手をにぎりしめてる。

「……わからない。朝の礼拝のとき、いきなり祭壇のところから火がでて……。」

ぼんやりしたレンの声。まだ、事態がわからないという目をしている。

ぼくはレンとニータを抱きしめる。

「大丈夫……。大丈夫だから。なにも心配しなくていいから。」

二人に、言いきかせる。

「大丈夫？　——なにが、大丈夫なんだ？」

右肩で、コロンバがきいてくる。

でも、ぼくには、そう言うしかなかった。二人を抱きしめて、そう言うしかなかった。

教会の塔が焼けくずれ、地面に鐘《かね》が落ちる。悲鳴があがり、教会の前にいる人垣《ひとがき》がひろがる。

ぼくは、火事を見ている人たちを見る。ぼくの考えがまちがえてなかったら、かならずいるはずだ。

すると——いた！　ホッズと茶魔が、人垣からすこしはなれた場所に立っている。

「ここは、消防署からも見捨てられてるんですね。火がでてから消防車がくるまでに三十分以上

もかかるなんて、考えられません。」

ホッズが腕時計を見て、悲しそうに頭をかかえる。

ぼくはホッズに近づくと、彼の胸ぐらをつかんだ。

「火をつけたのは、おまえらか！」

ホッズの白い義眼が、ぼくにむけられる。

「聞きおぼえのない声ですね。どなたですか？」

「ズキアだ。――《Aのズキア》。おぼえておけ。」

「そういえば、あなたのにおいはおぼえがあります。ゆうべ、クラサのバーにいましたね。」

ホッズが、胸ぐらをつかんでるぼくの左腕をひねりあげる。

ぼくが痛がらないので、不思議そうに首をひねった。

「痛くないのですか？」

ぼくは答えない。つぎの瞬間、左肩のところでゴキュと音がした。左腕が、ダラリとさがる。

「ふむ……。」

上着のえりを直すホッズ。

「世の中には、いろんな方がいるものですね。関節をはずされても、悲鳴もあげないとは……。」

感心するホッズ。ぼくは、右手で左腕をもち、肩に押しこんだ。

ホッズが、ぼくに言う。

「わたしは、あなたに興味をもちました。お話があるようなら、うかがいますが——。」

「なぜ、火をつけた？」

ぼくの質問に、ハンカチをだし口を押さえるホッズ。

「ゆうべもお話ししましたが、われわれは、この通りを手に入れるように依頼されてます。依頼主の希望は、更地《さらち》がほしいということなので、不要な建物に火をつけたというわけです。瓦礫《がれき》をかたづけるのは、建物を解体するより楽ですからね。」

「一週間以内に立ちのけばいいと言ったじゃないか。まだ、一日もたってないぞ！」

ぼくの文句に、ホッズはうなずく。

「ええ。だから、人間には手をだしてないでしょ。」

「…………」

「一週間したら、この通りにのこってる人間を建物といっしょに始末します。——おわかり？」

ホッズが、ハンカチをふった。

ふわりと、ぼくの顔にハンカチがかぶる。視界が、さえぎられる。それにつづいて、はげしい衝撃。
息がとまったと思った瞬間――ぼくの意識は途絶えた。

気がつくと、ぼくは路地裏に寝かされていた。

「気がついた？」

ズユの声だ。まわりには、子どもたちとシスターがいる。

夕闇がせまっているが、まだ、焦げくさいにおいが立ちこめている。

「教会は？」

ぼくの問いに、シスターが静かに首を横にふる。

「消防車がきたときには、もう……。」

子どもたちのすすり泣く声に、シスターの声が消される。

おきあがろうとしたが、体がうまく動かない。

「むりはしないほうがいい。あなたの体は、二階から地面にたたきつけられたくらいの衝撃を受けてるわ。」

ズユが、ふらつくぼくの肩をささえた。

肩――。コロンバがいない。

「コロンバは！」

ズユにきくと、なにも答えない。そうか……。苦手のズユと子どもたちがいるから、どこかへ避難してるのか。

ホッとしてると、ニータがきいてきた。

「だれ、コロンバって？」

「ああ、ニータたちは、知らなかったっけ。いつも、ぼくの肩にとまってる銀鳩だよ。」

不思議そうな顔をするニータ。まわりの子どもたちも、首をひねっている。

「ズキア……。これからのことを考えると、あなたも知ってたほうがいいと思うから、話すわね。」

ズユが、まじめな声で言う。

「あなたが飼ってるつもりのコロンバ――そんな鳩は、いないわ。」

え？

コロンバが、いない？　……どういう意味だ？

理解できないという顔のぼくに、ズユが、ゆっくり説明する。

「コロンバは、あなたの心がつくりだした幻。あなたは、自分がつくった幻に、コロンバという名前をつけて会話をしていたの。」

幻……。

「オーバーハング・ストリートに住む大人は、コロンバがいないってこと、みんな知っていた。知っていて、だまっていたの。」

「どうして？」

「他人がなにをしてようと、干渉しない――それが、ここのルール。でも、それだけじゃない。だまっていたのは、あなたのため。コロンバをつくりだすことで、あなたの心はバランスを保っていたから。」

「……………」

「だけどもう、そんなことを言ってられない。」

ズユが、ぼくの両肩をもつ。

黒いサングラスが、ぼくを見る。

「現実を見なさい、ズキア。」

「……………」

「そして、えらぶの。戦うか逃げるか——。」

「…………」

「えらばなければいけないときが、きたのよ。」

ぼくは……ぼくは、どうすればいい？

ニータが、ぼくのズボンをひっぱる。

「ねぇ、ズキア。わたしたち、どうなるの？」

ニータが、ぼくを見る。いまは、それどころじゃない。ぼくは、自分のことでせいいっぱいだ。

ぼくは、ニータから視線をそらしたいのを、必死でがまんする。

彼女の横では、レンがくちびるをかみしめている。ぼくには、彼が考えてることが、痛いくらいわかる。力がほしい。強大な力だ。だれにたよらなくても、自分と自分のたいせつなものを守れるだけの、強い力がほしい。

そのとき、ぼくの視界に緋仔が入った。

みんなからすこしはなれた場所で、緋仔は、ぼくたちを見ていた。その顔はほほえんでいるが、目には、なんの感情も浮かんでない。

なぜ、子どもたちが泣いているか。

なぜ、レンがくちびるをかみしめているか。

自分には、まるで関係ないというように、緋仔は立っている。

緋仔の黒い瞳――あらゆる感情をのみこんでしまうような、深い黒色。これ以上はないってくらい、濃い闇の色……。

「わー！」

ぼくは、悲鳴をあげると、ギクシャクする体で走りだしていた。


気がつくと、ぼくはアパートの横の路地にいた。

ひざをかかえるようにして、うずくまる。このまま、消えてしまえばいいのに……。

あたりを夜の闇がつつんだとき、右の肩にかすかな重み。

「コロンバ……。」

「大丈夫か、ズキア？」

それは、いつものコロンバの声。まったく、ぼくのことを心配してない口調。

ぼくは、ホッとする。

コロンバが、幻？　そんなバカなことがあるか。現に、こうして姿も見えるし、声も聞こえる。

手をのばし、コロンバを抱きしめようとする。しかし、その手が、コロンバを通りぬける。

「とっくのむかしに、気づいてると思ってたんだがな。」

やれやれという感じで、コロンバが言った。

「しかし、ズキアが気づいた以上、お別れだ。元気でやれ。」

コロンバの姿が、だんだんうすくなる。夜の闇にとけていくように——。

「待ってくれ、コロンバ！　ぼくは、どうしたらいいんだ？　教えてくれ！」

すると、コロンバがため息をついた。

「わたしの役目は、ズキアが逃げているあいだの話し相手。そのわたしがいなくなるんだ、ズキアがすることは一つしかない。」

「……戦えってこと？」

輪郭《りんかく》のうすれたコロンバが、うなずく。

「そうすれば、いまよりすこしは楽になる。」

「………」

「安心しろ。いつでも、わたしはズキアを見まもっている。」

消える瞬間、コロンバが言った。それは、まったくいつもどおり。感情のこもってない声。

「まったく……まったく、コロンバのやつは……。」

ほおがゆるむ。こんなふうに、しぜんに笑うのなんて、何年ぶりだろう。

「さて――。楽になるとしようか。」

ぼくは、立ちあがった。


大きな月が、ビルのむこうにしずもうとしている。

ぼくは、フラミンゴホテルにむかって歩きはじめる。

ねむらないラスベガスの街――そんな言葉とは無縁のオーバーハング・ストリート。ろくに街灯もない通りを、ぼくは歩く。

「吹っきれたようね。」

路地から、声をかけられた。

四つの人影が、ぼくの行く手にあらわれる。ズユ、クラサ、ロシとロクだ。

「どうしてここにいるんだ？」

ぼくは、ズユにきいた。

「あたくし、いちおうあなたの主治医ってことになるのよね。これから、バカな患者が大ケガするのをだまって見すごせないの。」

ズユが、ため息をついてから、サングラスを直す。

その横で、クラサが言う。

「フラミンゴホテルへ行くのなら、ごいっしょしますよ。」

うやうやしく言うクラサ。ぼくは大きく息を吸いこんでから答える。

「いっしょに戦う気はないって、言ってたよな。」

「ええ。わたしはわたしで、かってに戦います。」

「〝旅は道連れ〟っちゅう言葉を、ＹＯＳＨＩＭＯＴＯにいるとき教えてもろたことがある。」

ロシの言葉に、ロクがうなずく。

「旅は、ようけで行ったほうが楽しいで。」

この二人、遠足とまちがえてるんじゃないのだろうか。

……まあ、いいか。

ぼくは、四人にむかってまじめな顔で言う。

「ついてきてもいいけど、足手まといになるなよ。」

「…………」

しばらくして、四人が大爆笑した。


フラミンゴホテルが近づくにつれ、喧噪が大きくなる。

それは、人通りが多いからとか活気があるからというレベルではない。

消防車やパトカーのサイレン。逃げまどう人。夜空を、マスコミの取材ヘリが飛んでいる。

——なにがあったんだ……？

ぼくは、近くで交通整理をしていた警官にきいた。

「なにかあったんですか？」

「さぁな。おれは、この通りの交通整理をするように言われただけだから、さっぱりわからん。フラミンゴホテルで、なにかおこったのはたしかみたいだが——。」

うっとうしそうに答える警官。その視線の先には、ライフル銃をもった狙撃隊がいる。

「動物園から、グリズリーでも脱走したんじゃないか？」

「まあ、おそろしい。——神のご加護がありますように。」

そう答えたのは、シスターだ。いつのまにか、シスターがぼくらのわきに立っていた。

「気をつけてくださいよ。とにかく、フラミンゴホテルには近づかないでください。」

警官が、丁寧な口調で、シスターに言った。


シスターは、ぼくら五人を裏通りにつれていった。

ゴミ箱と新聞紙が散乱する通り。歩いてる人も、街灯もない。ビルの窓からもれる灯《あか》りだけの、うす暗い通りだ。

木箱に腰をおろし、シスターが言う。

「あなたたちがくるのがわかっていたら、もうすこしおとなしくしていたのに……。」

おだやかな口調のシスター。

そして、一つうなずき、こんな話をはじめた。

「魔女の話をしてあげましょう。オーバーハング・ストリートに住む魔女の話を──。」

魔女……。オーバーハング・ストリートには、通りを守る魔女がいるという伝説がある。

そういえば、ホッズがズユを見て、魔女と言っていたっけ。

ぼくは、ズユを見た。

「まさか、このあたくしのことを魔女だって思ってるんじゃないでしょうね。」

うなずいたら石にかえられそうな、不機嫌なズユの声。

ぼくは、あわてて首を横にふった。

シスターが言う。

「ホッズは、ズユさんのことを魔女と言いましたが、彼はかんちがいしています。魔女は、ズユさんじゃありません。」

「………」

「魔女は、戦場で生まれ育ちました。敵を殺さないと、自分が死ぬ。——そういう環境で生きのこるため、魔女は多くの人を殺しました。何年も何年も、生きのこるために。」

「……その魔女って、シスター？」

ぼくのつぶやきに、彼女は答えない。

「ある日、魔女の知らないところで、停戦協定が結ばれました。『もう戦わなくてもいい。』——とつぜんそう言われて、彼女はとまどいました。平和な時間というものを、彼女は知らなかったのですから。」

シスターは答えないが、魔女はシスターだ。ぼくは、彼女の話を聞いて、そう思った。

おどろいた……。ぼくが想像していたシスターの過去は、大部分あっていたんだ。

「魔女は、神に教えてもらおうと思いました。でも、神は、なにも答えてくれませんでした。そんなとき、彼女は、教会の前に捨てられていた赤ん坊をひろいました。彼女には、その子が、神からの贈り物に思えました。」

「………」

「神は、なんのために赤ん坊を贈ったか？　――魔女は、考えました。人間らしさを取りもどさせるためか？　命のたいせつさを教えるためか？」

そう言うシスターの顔。慈愛に満ちた、マリア様のような笑顔。

それが――。

「そうじゃないと、魔女は思いました。」

シスターの顔が、かわる。つりあがった口元。細くするどい目。――それはまさしく、魔女の顔だ。

「命のたいせつさを教えるため？　――まさか。神がそれをのぞむのなら、なぜ自分を戦場に生まれさせたのか？　人殺しの技術しか知らない自分の人生は、むだだったのか？」

ぼくは、魔女のさけびを聞く。

「自分の人生を否定したくなかった魔女は、自分が身につけた殺人技術を、その子にすべて伝えました。」

「ひどい……。」

ぼくは、思わずつぶやいていた。

「ひどい？　——どうしてです？　魔女が戦場で生まれ育ったのは、運命だったのです。一度も、彼女はそんなことをのぞんだりしなかった。赤ん坊が魔女に育てられたのも、殺人技術をしこまれたのも、運命です。」

そうなのか……。ほんとうに、そうなのか……。

「運命には、さからえません。」

ちがう！　——ぼくは、そうさけびたかった。でも、声がでない。

クラサがきく。

「その赤ん坊は？」

「緋仔です。」

シスターが答えた。

「あの子は、痛みを感じないのですよ。」

「……………」

「緋仔は、痛みを感じない。恐怖も感じない。わたしがつくりだした、最強の殺人機械です。」

歌うように、シスターが言った。

ぼくは、理解した。緋仔の目に宿る、深い闇の意味を……。

緋仔は、感情のない殺人者。そのことに、彼はなんの疑問ももってない。もつことができない。

彼にとって、人の命をうばうことなど、特別なことではないのだ。

近所を散歩する。文字を書く。食べ物を口にする。人を殺す。——そこに、区別はない。

最強だ……。シスターの言うとおり、最強の殺人機械だ……。

「いま、緋仔は？」

「一人でフラミンゴホテルに乗りこみました。」

ズユの質問に、シスターが答えた。

「一人でって……。そんなむちゃさせてええの？」

ロクが言う。シスターは、首を横にふる。

「教会に火を放つような非道な連中です。心配してやる必要もないでしょう。」

いや、ロクは緋仔の心配をしてるんだけど……。

「かりに緋仔が無事だとして、現在、フラミンゴホテルは警察に包囲されてます。どうやって脱出させるんです？」

クラサの疑問はもっともだ。

そのとき、ゴトリという音がした。

三メートルほど先にあるマンホールの蓋《ふた》が動く。

マンホールの中からあらわれたのは、緋仔だ。白かったシャツが、血で赤黒く染まっている。

シスターを見つけ、ニッコリほほえむ緋仔。それはまるで、母親にほめてもらうことだけを楽しみにしてる子どものようだ。

緋仔が、シスターの前に立つ。

「おかえりなさい。」

シスターが、緋仔の頭をなでる。

彼はどこもケガをしてないようだ。なのに、シャツの色がかわるほど、血を浴びている。フラミンゴホテルで、いったいどんな惨劇がおきたのか……。

するととつぜん、緋仔がマンホールにむかって右手をふった。指先からのびた細い糸が、マンホールからでた白いハンカチをこまかく切断する。

「ちょっと待って、待ってよぅ！　白旗をふってるでしょ！　降参してるんだから、攻撃しないで！」

この脳をひっかくような甲高い声――茶魔だ。

マンホールから、傷だらけの体をひきぬく茶魔。地面に横たわり、大きく息を吐く。

「くやしいけど、あちしの負け……。その子は、あちしより美しいわ。」

茶魔の太い指が、緋仔を指さす。

「まるで、天使が舞ってるようだったわ……。」

うっとりした口調で、茶魔が言った。上半身をおこし、ぼくらを見る。

「だから、お願い。あちしを仲間にして。」

「…………」

ぼくは、シスターと緋仔を見る。

緋仔が、茶魔にむかって両手をあげた。それは、天使が羽をひろげたように見えた。ふたたび糸をふろうとする緋仔を、シスターがとめた。

「もういいわ、緋仔。今夜は、まだ仕事がのこってるし――。」

「仕事？」

ぼくのつぶやきに、シスターがうなずく。

「第四部隊は、壊滅させました。しかしまだ、マフィアの本体がのこっています。それをつぶさないかぎり、またチョッカイをだしてきますからね。」

シスターが、いたずらっ子のような笑みを浮かべた。

そして、ぼくらを見まわし言う。

「いっしょにこられますか？」

その言葉に、ぼくらはしぜんにうなずいていた。


そのとき、緋仔が夜空を見上げた。

星も月もない、まっ暗な空を——。


ラスベガスの街を、巨大な飛行物体がおおった。

「なんだ、これは——。」

予告状を受けて集まったラスベガスの警官たちは、空からふりそそぐバラの花びらにとまどっていた。

マフィアが経営する非合法カジノの大金庫をうばわせていただきます。——そんな予告状を、だれもが冗談ではないかと疑った。

しかし、これは……。

無数に舞う花びらが、人々の視界をうばう。そして、赤い視界が、現実的な思考を消していく。

これは現実なのか、それとも悪夢か——。

花びらを指さし、視界を確保しようとする警官。

予告状に指定された時間が近づいていた。

ゴゴゴゴゴゴゴ……。

空気がふるえる。なにか巨大なものが、空からゆっくりとおりてきている。

警官たちが、夜空を見上げる。夜の闇よりも深く黒い飛行物体。超弩級《ちょうどきゅう》巨大飛行船トルバドゥールが、ラスベガスの夜空をおおっているのだ。

そして、警官たちは、空から落ちてくる声を聞いた。

「わたしの名前は、クイーン。怪盗を生業《なりわい》とする者です。」

男性とも女性ともいえない声。

「それでは、大金庫を盗ませていただきます。」

自信に満ちた話し方だ。みじんも、自分の能力に疑いをもっていないことがわかる。

警官の一人が、空にむかってさけんだ。

「そんなことは不可能だ！　金庫は、ビルの地下にある。それに、道路は警官によって封鎖されている。マフィアだって、おとなしく盗まれてはいないだろう。この状況で盗めるわけがない！」

それに対して、クイーンが答える。

「わたしは、怪盗。怪盗に不可能はないんですよ。」

警官たちは、クイーンの言葉にゾクリとする。そして、一警官の声に対して、ちゃんと答えるクイーンを、なかなか律儀な怪盗だと思った。

「犯行は、あくまでも優雅にエレガントに――それが、怪盗の美学です。」

そう、いまのクイーンには、バラの花びらをまくなどという手間のかかることに文句を言うパートナーは、いない。

クイーンは、怪盗の美学のもと、犯行を思いっきり楽しんでいた。

「それでは、安全のために避難することをおすすめします。いまから、切断したビルの破片がふりそそぐと思うので――。」

切断したビルの破片――その言葉を聞いて、警官たちはビクッとする。クイーンは、地下の金庫を盗むために、上にのっているビルを切断するというのか……。

「トルバドゥール、上昇！」

クイーンの声と同時に、大地がゆれる。高速上昇するトルバドゥールが、衝撃波をおこしているのだ。

巨大なホテルが陽炎《かげろう》のようにゆれ、上部からくずれはじめる。

「うわー！」

逃げまどう警官たちの上に、バラの花びらとともにこまかな破片がふりそそぐ。混乱する現場は、パニック映画のようなさわぎだ。

これが、優雅でエレガントな犯行なのか？　——だれもが思ったが、きける雰囲気でも状況でもなかった。

くずれるビルの中からのびる、一本のワイヤー。その先につりさげられたコンテナのようなものは、巨大な金庫だ。

そして、警官たちは見た。

金庫の上に立つ、黒装束《くろしょうぞく》の人物。

透きとおるような白い肌。口にくわえた一輪の赤いバラ。銀色の髪をなびかせる姿は、まるで、ギリシャ時代の彫刻を思わせるような美しさだ。

一瞬、時がとまったかのように、人々のざわめきも空気の震動もとまった。

「怪盗クイーン……。」

警官の一人が、つぶやいた。

金庫の上に立ったクイーンがほほえむ。そして、バラの花を投げた。ラスベガスの街に、赤いバラの花びらが舞う。

「オールボワール！」

その声と同時に、ワイヤーが空にのぼっていく。

大気をきりさき、信じられないくらい巨大な飛行船が上昇していく。

クイーンは、だれもいないトルバドゥールの船室《キャビン》で、ゆったりとソファーにすわっている。狩りをおえた大型肉食獣のようなクイーン。その手には、ワインボトル。

クイーンの口元には、かすかな笑みが浮かんでいる。それは、ラスベガスの空をのぼるとき、おもしろいものを見つけたから。

まっ暗な裏通り。そこにたたずむ八人の男女。クイーンは、そのなかの少年と、たしかに目があった。

——彼らは、いつかまた、わたしの前にあらわれるだろう。

楽しそうなクイーン。

——そのときは、味方か……それとも敵か……。

クイーンは、のばした指先を指揮棒《タクト》のようにふる。

斬《ざん》！

一陣の風が吹き、ワインボトルの首が切断された。

「ワクワクするような出会いに……乾杯《トスト》！」

そこにはまだ、ゴミをちゃんと分別するように言う、口やかましい人工知能はいない。

「……なんだったんだ、いまのは？」

空をおおいつくしていた巨大な物体が、どんどん遠くなっていく。

あっけにとられてるのは、ぼくだけじゃない。

みんな、口を半びらきにして、夜空を見上げている。

いや、みんなじゃない。緋仔だけが口元に笑みを浮かべている。いままで、こんなに楽しそうにほほえむ緋仔を見たことがない。まるで、とてもすてきな玩具《がんぐ》を手に入れたような笑顔だ。

これから、思いっきり遊ぼうっていう子どもの顔――。

「フッ……。」

ぼくも、しぜんにほほえんでいた。

緋仔と――ここにいる連中といっしょにいたら、なんだかワクワクするような時間が待ってる気がした。

The prehistory of
"UIROU"

〈Fin〉

あとがき

どうも、はやみねかおるです。

怪盗クイーンの短編集です。いちばん古いのは、二十年前に書かれたものです。読者の皆さん、生まれてましたか？　それでは、それぞれの物語について、少し書かせてください。

☆

「怪盗クイーンからの予告状」

怪盗クイーン初登場！　本書に入っている三つの話の中で、いちばん最初に書かれた物語です。

この物語で、クイーンとジョーカーのもとにＲＤ《アールディー》がやってきた経過がわかります。

名探偵夢水清志郎《ゆめみずきよしろう》に岩崎三姉妹《いわさきしまい》、レーチも出てきます。やはり、名探偵と怪盗は戦わなければいけません。この物語は、その後も続く名探偵対怪盗の、最初の対決です。（次の顔合わせは、『オリエント急行とパンドラの匣《ケース》』です。よければ、読んでください）

この短編を読み返してみて思ったのですが、時代を感じました。若い読者の皆さんは、黒電話って知ってるのでしょうか？　いちばんショックを受けたのは、「六十歳くらいのおじいさん」という記述でした。この原稿を書いていた頃、ぼくは三十代半ば。六十歳の男性を、おじいさんだと思っていたのです。ちなみに、二〇二〇年五月現在、ぼくは五十六歳。今なら、「六十歳のヤングマン」と書くでしょう。

「出逢《であ》い」

ヤング・クイーンとリトル・ジョーカー——二人が出逢う物語です。まだ、RDは出てきません。こう書くと驚かれるかもしれませんが、年齢不詳のクイーンにも若いときはあったのです。そして、クイーンといえども修行（もしくは虐待、いじめ）の日々は必要だったのです。

クイーンのお師匠様——皇帝《アンプルール》初登場です。その後、登場させる予定はなかったのですが……。今では、退場させることのできない重要キャラになってしまいました。

ジョーカーがいた収容所も、T《ティー》－25も出てきます。ちなみに、このT－25は、『ニースの休日』『モナコの決戦』でジョーカーと再会し対決します。まさか、再登場するとは思っていませんでした。

しかし、子どもはすぐに成長しますね。小さかったジョーカーも、我が家の息子たちも、すっかり大きくなってしまいました。

「初楼《ういろう》 ——前史——」

クイーンは出てきますが、ジョーカーもRDも出てきません。たった一人でトルバドゥールに乗っているクイーン。まだ、怪盗の美学を追求している過程です。

初楼については、『怪盗クイーンの優雅な休暇《バカンス》』に詳しく書いてあるので、そちらを読んでいただくとして――。

登場人物ができたとき、彼らの過去も、ほぼ同時にできています。それは、メインキャラもサブキャラも関係ありません。(逆に、主役級の夢水清志郎やクイーンのほうが、生い立ちなど不明な部分が多いです)

だから、初楼の各メンバーの過去を書くのは楽でしたね。みんながどのように集まり、初楼ができあがったのか――。すらすら書けました。

あと、ぼくは、キャラクターの名前を覚えるのが苦手です。そんなぼくが、なぜ七人もいるメンバーの名前を覚えられたのか？　ヒントは、「青柳《あおやぎ》ういろう」のCMです。

☆

最後に感謝の言葉を――。

今までバラバラだったクイーンの短編を、一冊にまとめてくださった講談社の山室《やまむろ》さん。ありがとうございました。まとめるにあたり、矛盾を解決したり表記を統一したり、いろいろとご苦労をおかけしました。新たに絵を描いてくださったK2商会《ケーツーしょうかい》先生、ありがとうございます。

ジョーカーくんの十六歳から十九歳への成長、しかと見届けさせていただきました。

「怪盗クイーンからの予告状」を書いた頃——。琢人《たくと》は小さく、彩人《さいと》は生まれたばかり、ぼくは教師を辞めて原稿書きの日々。そんな家族をずっと支えてくれている奥さんへ。ほんとうにありがとうございます。

そして、読者の皆様。本書でクイーンを初めて目にした方も、小学生のときに「怪盗クイーンからの予告状」を読んでくださった方も、ぼくの書く物語は、もうしばらく続きます。すみませんが、今しばらくおつきあいください。

☆

さて、二〇二〇年は作家生活三十周年の年——。ぼくは、三十年にわたって広げてきた風呂敷を畳み始めています。クイーンも夢水清志郎も同じ物語に登場し、対決し、ときには共闘します。

この先、クイーンはフランスの陽炎村《かげろうむら》を訪れます。そして、出生の秘密や、神と世界の関係に気づくようになります。——というか、その予定です。しかし、はやみねかおるのことです。どこまで計画的に原稿が進むか……。それは、神の味噌汁。

というわけで、また新しい物語でお目にかかりましょう。それまでお元気で。

では！

Good Night, And Have A Nice Dream!

本書は、「怪盗クイーンからの予告状」（二〇〇〇年刊行、『いつも心に好奇心《ミステリー》！』に収録）、「出逢い＋1《プラスワン》」（二〇〇五年刊行、『おもしろい話が読みたい！　白虎編』に収録）、「初楼　―前史―」（二〇一〇年刊行、『おもしろい話が読みたい！　ワンダー編』に収録）の三編を一部改題し、再編集したものです。

【はやみねかおる　作品リスト】2020年5月現在

◆ 講談社青い鳥文庫

＜名探偵夢水清志郎シリーズ＞

『そして五人がいなくなる』1994年2月刊 ,『亡霊《ゴースト》は夜歩く』1994年12月刊
『消える総生島』1995年9月刊 ,『魔女の隠れ里』1996年10月刊
『踊る夜光怪人』1997年7月刊 ,『機巧館《からくりやかた》のかぞえ唄』1998年6月刊
『ギヤマン壺の謎』1999年7月刊 ,『徳利《とっくり》長屋《ながや》の怪』1999年11月刊
『人形は笑わない』2001年8月刊 ,『「ミステリーの館」へ、ようこそ』2002年8月刊
『あやかし修学旅行 ―鵺《ぬえ》のなく夜―』2003年7月刊
『笛吹き男とサクセス塾の秘密』2004年12月刊 ,『ハワイ幽霊城の謎』2006年9月刊
『卒業 〜開かずの教室を開けるとき〜』2009年3月刊
『名探偵 VS. 怪人幻影師』2011年2月刊 ,『名探偵 VS. 学校の七不思議』2012年8月刊
『名探偵と封じられた秘宝』2014年11月刊

＜怪盗クイーンシリーズ＞

『怪盗クイーンはサーカスがお好き』2002年3月刊
『怪盗クイーンの優雅な休暇《バカンス》』2003年4月刊,『怪盗クイーンと魔窟王の対決』2004年5月刊
『オリエント急行とパンドラの匣《ケース》』2005年7月刊
『怪盗クイーン、仮面舞踏会にて ―ピラミッドキャップの謎　前編―』2008年2月刊
『怪盗クイーンに月の砂漠を ―ピラミッドキャップの謎　後編―』2008年5月刊
『怪盗クイーン、かぐや姫は夢を見る』2011年10月刊
『怪盗クイーンと悪魔の錬金術師 ―バースディパーティ　前編―』2013年7月刊
『怪盗クイーンと魔界の陰陽師 ―バースディパーティ　後編―』2014年4月刊
『怪盗クイーン　ブラッククイーンは微笑まない』2016年7月刊
『怪盗クイーン　ケニアの大地に立つ』2017年9月刊
『怪盗クイーン　ニースの休日 ―アナミナティの祝祭　前編―』2019年7月刊
『怪盗クイーン　モナコの決戦 ―アナミナティの祝祭　後編―』2019年8月刊
『怪盗クイーン 公式ファンブック 一週間でわかる怪盗の美学』2013年10月刊

＜大中小探偵クラブシリーズ＞

『大中小探偵クラブ ―神の目をもつ名探偵、誕生！―』2015年9月刊
『大中小探偵クラブ ―鬼腕村《おにかいなむら》の殺ミイラ事件―』2016年3月刊
『大中小探偵クラブ ―猫又《ねこまた》家《け》埋蔵金《まいぞうきん》の謎―』2017年1月刊

『バイバイ スクール　学校の七不思議事件』1996年2月刊,『怪盗道化師《ピエロ》』2002年4月刊
『オタカラウォーズ　迷路の町のＵＦＯ事件』2006年2月刊
『少年名探偵 WHO《フー》 ―透明人間事件―』2008年7月刊,『少年名探偵　虹北恭助《こうほくきょうすけ》の冒険』2011年4月刊
『ぼくと未来屋の夏』2013年6月刊 ,『恐竜がくれた夏休み』2014年8月刊
『復活!!　虹北学園文芸部』2015年4月刊,『打順未定、ポジションは駄菓子屋前』2018年6月刊

◆ 青い鳥文庫　短編集ほか

「怪盗クイーンからの予告状」(『いつも心に好奇心《ミステリー》！』収録）2000年9月刊
「出逢い＋１《プラスワン》」(『おもしろい話が読みたい！ 白虎《びゃっこ》編《へん》』収録）2005年7月刊
「少年名探偵 WHO《フー》 ―魔神降臨事件―」(『あなたに贈る物語《ストーリー》』収録）2006年11月刊
「怪盗クイーン外伝 初楼《ういろう》 ―前史―」(『おもしろい話が読みたい！ ワンダー編』収録）2010年6月刊
『はやみねかおる公式ファンブック　赤い夢の館へ、ようこそ。』2015年12月刊

◆ 講談社文庫

『そして五人がいなくなる』2006年7月刊,『亡霊《ゴースト》は夜歩く』2007年1月刊,『消える総生島』

2007年7月刊,『魔女の隠れ里』2008年1月刊,『踊る夜光怪人』2008年7月刊
『機巧館《からくりやかた》のかぞえ唄』2009年1月刊,『ギヤマン壺の謎』2009年7月刊,『徳利《とっくり》長屋《ながや》の怪』
2010年1月刊,『赤い夢の迷宮』(作/勇嶺薫《はやみねかおる》)2010年5月刊
『都会《まち》のトム&ソーヤ』①〜⑩ 2012年9月刊〜
◇ 講談社BOX
『名探偵夢水清志郎事件ノート そして五人がいなくなる』2008年1月刊(漫画/箸井地図《はしいちず》)
『少年名探偵 虹北恭助の冒険　高校編』2008年4月刊(漫画/やまさきもへじ)
◆ 講談社 YA! ENTERTAINMENT
『都会《まち》のトム&ソーヤ ①』2003年10月刊
『都会のトム&ソーヤ ② 乱《らん》! RUN《ラン》! ラン!』2004年7月刊
『都会のトム&ソーヤ ③ いつになったら作戦《ミッション》終了?』2005年4月刊
『都会のトム&ソーヤ ④ 四重奏《カルテット》』2006年4月刊
『都会のトム&ソーヤ ⑤ IN《イン》 塀戸《VADE》』(上・下)2007年7月刊
『都会のトム&ソーヤ ⑥ ぼくの家へおいで』2008年9月刊
『都会のトム&ソーヤ ⑦ 怪人は夢に舞う<理論編>』2009年11月刊
『都会のトム&ソーヤ ⑧ 怪人は夢に舞う<実践編>』2010年9月刊
『都会のトム&ソーヤ ⑨ 前夜祭(イブ)<内人side>』2011年11月刊
『都会のトム&ソーヤ ⑩ 前夜祭(イブ)<創也side>』2012年2月刊
『都会のトム&ソーヤ ⑪ DOUBLE《ダブル》』(上・下)2013年8月刊
『都会のトム&ソーヤ ⑫ IN《イン》 THE《ザ》 ナイト』2015年3月刊
『都会のトム&ソーヤ ⑬ 黒須島《くろすとう》クローズド』2015年11月刊
『都会のトム&ソーヤ ⑭ 夢幻《むげん》』(上)2016年11月刊,(下)2017年2月刊
『都会のトム&ソーヤ ⑮ エアポケット』2018年3月刊
『都会のトム&ソーヤ ⑯ スパイシティ』2019年2月刊
『都会のトム&ソーヤ外伝 ⒃.⑸』2020年3月刊
『都会のトム&ソーヤ完全ガイド』2009年4月刊
「打順未定、ポジションは駄菓子屋前」(『YA! アンソロジー 友情リアル』収録)2009年9月刊
「打順未定、ポジションは駄菓子屋前、契約は未更改」(『YA! アンソロジー エール』収録)2013年9月刊
『都会のトム&ソーヤ　ゲーム・ブック　修学旅行においで』2012年8月刊
『都会のトム&ソーヤ　ゲーム・ブック　「館《やかた》」からの脱出』2013年11月刊
◆ 講談社ノベルス
「少年名探偵 虹北恭助の冒険」シリーズ　2000年7月刊〜
『赤い夢の迷宮』(作/勇嶺薫)2007年5月刊,『ぼくと未来屋の夏』2010年7月刊
◆ 講談社タイガ
『ディリュージョン社の提供でお送りします』2017年4月刊
『メタブックはイメージです　ディリュージョン社の提供でお送りします』2018年7月刊
「思い出の館のショウシツ」(『謎の館へようこそ 黒』収録)2017年10月刊
◇ KC(コミックス)
『名探偵夢水清志郎事件ノート』①〜⑪ 2004年12月刊 〜(漫画/えぬえけい)
『名探偵夢水清志郎事件ノート「ミステリーの館」へ、ようこそ』(前編・後編)2013年3月刊(漫画/えぬえけい)
『都会のトム&ソーヤ』①〜③　2016年6月刊 〜(漫画/フクシマハルカ)
◆ 単行本
講談社ミステリーランド『ぼくと未来屋の夏』2003年10月刊
『ぼくらの先生!』2008年10月刊,『恐竜がくれた夏休み』2009年5月刊
『復活!!　虹北学園文芸部』2009年7月刊,『帰天城《かえりそらじょう》の謎 —TRICK《トリック》 青春版—』2010年5月刊
『4月のおはなし　ドキドキ新学期』(絵/田中六大)2013年2月刊

著者紹介

はやみねかおる

1964年、三重県に生まれる。三重大学教育学部を卒業後、小学校の教師となり、クラスの本ぎらいの子どもたちを夢中にさせる本をさがすうちに、みずから書きはじめる。「怪盗道化師《ピエロ》」で第30回講談社児童文学新人賞に入選。〈名探偵夢水清志郎事件ノート〉〈怪盗クイーン〉〈大中小探偵クラブ〉〈YA! ENTERTAINMENT「都会《まち》のトム＆ソーヤ」〉〈少年名探偵虹北恭助の冒険〉などのシリーズのほか、『バイバイ　スクール』『ぼくと未来屋の夏』『復活!!　虹北学園文芸部』『帰《かえり》天《そら》城《じょう》の謎　TRICK　青春版』（以上すべて講談社）などの作品がある。

画家紹介

K２商会（ケーツーしょうかい）

Niki＆Nikkeの二人組イラストレーター。〈怪盗クイーン〉シリーズは、Nikiの担当。

TVゲームのキャラクターデザインやカードゲームのイラストのほか、ファンタジー小説のさし絵なども手がけている。さし絵に、「ファンム・アレース」（講談社 YA! ENTERTAINMENT）など。

公式サイトは、「PLEASURE」（http://k2shople.web.fc2.com）。

地図作成　茂原敬子

怪盗《かいとう》クイーンからの予告状《よこくじょう》

怪盗《かいとう》クイーン　エピソード0《ゼロ》

2020年5月25日　　第1刷発行

著　者／はやみねかおる
発行者／渡瀬昌彦
発行所／株式会社　講談社

〒112-8001　東京都文京区音羽2-12-21
電話　　編集　03-5395-3536
　　　　販売　03-5395-3625
　　　　業務　03-5395-3615
N.D.C.913　382p　20cm
印刷所／豊国印刷株式会社
製本所／大口製本印刷株式会社
本文データ制作／講談社デジタル製作

ISBN978-4-06-519587-1